la petite
maison dans
la prairie

**Castor Poche
Collection animée par
François Faucher et Martine Lang**

Titre original :

LITTLE TOWN ON THE PRAIRIE

La série **La petite maison dans la prairie** *constitue
les souvenirs authentiques de Laura, tels qu'elle les a racontés
bien des années plus tard. Ces souvenirs décrivent la vie
de pionnier de la famille Ingalls dans la Jeune Amérique
de la période 1870-1890.*

Une production de l'Atelier du Père Castor

Éditeur original : HARPER & ROW, Publishers
Text copyright 1941 by Laura Ingalls Wilder.
Copyright renewed 1969 by Charles F. Lamkin, Jr.
Pictures copyright 1953 by Garth Williams

LAURA INGALLS WILDER

la petite maison dans la prairie

tome 6

traduit de l'américain par
CATHERINE CAZIER
et CATHERINE ORSOT-NAVEAU

illustrations de
GARTH WILLIAMS

Castor Poche Flammarion

Laura Ingalls Wilder, l'auteur (1867-1957)

Née en 1867 aux Etats-Unis, dans une maison en rondins du Wisconsin, l'auteur connut pendant toute son enfance les pérégrinations propres aux familles de pionniers. D'abord installée dans les régions boisées du Wisconsin, la famille Ingalls voyagera en chariot bâché en direction de l'Ouest à travers les Etats du Wisconsin, du Kansas, du Minnesota et du Dakota.

Dans les années 1930, Laura Ingalls Wilder se mit à raconter son enfance et sa jeunesse qui se déroula dans l'Ouest américain, au temps des pionniers. Savait-elle alors qu'elle écrivait l'un de ces grands livres dans lesquels, génération après génération, les êtres les plus divers peuvent trouver matière à enchantement et à réflexion ? Très populaire aux Etats-Unis depuis sa publication en 1935, cette série en huit volumes a été adaptée par la télévision américaine et déjà diffusée plusieurs fois en France.

Catherine Cazier et **Catherine Orsot-Naveau,** les traductrices, sont deux amies qui se sont rencontrées sur les bancs du lycée. Quelques années plus tard, après avoir voyagé dans de nombreux pays, elles se sont retrouvées côte à côte, penchées sur des livres : elles traduisaient *La petite maison dans la prairie.* Elles se sont partagées le travail, traduisant chacune une moitié du livre, avant de tout relire ensemble dans le souci d'une unité de style et afin de résoudre les quelques difficultés soulevées par le texte.

« Nous avons pris à cœur les épisodes heureux ou malheureux des jeunes années de Laura, tout au long des tomes 2, 3, 5, et 6. L'histoire de Laura et des siens, ce n'est pas seulement le récit de la lutte sans merci contre une nature souvent hostile, c'est aussi les mille et une péripéties, cocasses ou poignantes de la vie d'une petite fille confrontée au monde des adultes, le long cheminement de l'enfance vers l'adolescence. Nous sommes persuadées que les jeunes lecteurs se passionneront également pour les aventures de cette petite fille modèle du Far West. »

Catherine Cazier vit à présent aux Pays-Bas où elle poursuit son travail de traductrice, traduisant des textes anglais et américains ainsi que des textes hollandais car elle a découvert dans ce pays une foule d'ouvrages passionnants pour la jeunesse.

Catherine Orsot-Naveau poursuit de son côté son travail de traductrice parallèlement à son activité d'analyste.

Yves Beaujard a réalisé l'illustration de la couverture. Il connaît bien les Etats-Unis pour y avoir séjourné et travaillé en tant qu'illustrateur et graveur durant une dizaine d'années.

Garth Williams a réalisé les illustrations intérieures, extraites de l'édition américaine de 1953. Remarquables par leur exactitude et leur pouvoir d'évocation, ces dessins ont demandé dix ans de recherches et de travail à l'auteur pour en parfaire la réalisation.

La petite maison dans la prairie : (tome 6)

La petite ville dans la prairie est le sixième tome de la célèbre autobiographie où l'auteur raconte son enfance dans les années 1870/1890.

Après un hiver éprouvant passé dans leur nouvelle maison, le temps des beaux jours est revenu pour la famille Ingalls. La prairie du Dakota se déroule à perte de vue sous un soleil éclatant et la petite ville prospère et s'agrandit constamment avec la venue de nouveaux pionniers.

Par la bouche de Laura, c'est toute la vie des pionniers que nous découvrons. Nous partageons leurs difficultés mais aussi leurs joies. Nous nous familiarisons avec leurs traditions, leur vie quotidienne; nous découvrons l'habileté et le courage étonnants dont faisaient preuve ces hommes et ces femmes pour dominer les problèmes de chaque jour et vivre pratiquement en économie fermée.

CHAPITRE 1

LA SURPRISE

— Que dirais-tu de travailler en ville, Laura?
demanda Papa, un soir, au dîner.

Laura resta sans voix, au milieu de la stupéfaction générale. Grace, Carrie et Marie demeuraient pétrifiées sur leur chaise comme si la
foudre venait de les frapper. Grace ouvrait de
grands yeux par-dessus sa timbale en fer-blanc.
Carrie gardait les dents plantées dans un morceau de pain et Marie, immobile, laissait sa
fourchette suspendue. Maman continuait à ver-
ser du thé dans la tasse de Papa, déjà dange-

reusement pleine. Elle se ressaisit juste à temps et reposa vivement la théière.

— Qu'est-ce que tu as dit, Charles? demanda Maman.

— J'ai demandé à Laura ce qu'elle pense de l'idée d'aller travailler en ville, répéta Papa.

— Travailler en ville? Laura? Mais, quelle sorte de travail... commença Maman.

Puis, d'un air résolu, elle décida :

— Non, Charles. Je ne veux pas que Laura travaille dans un hôtel au milieu de tous ces étrangers.

— Qui parle de cela? s'étonna Papa. Aucune de nos filles ne fera jamais un travail pareil tant que je vivrai.

— Bien sûr, où avais-je la tête! Mais, ta question était si inattendue. De quel travail s'agit-il, alors? Laura n'a pas encore l'âge d'enseigner.

Quand Papa lui avait posé la question et avant même qu'il ne donnât des explications, Laura avait songé immédiatement à la différence entre la vie en ville et la vie qu'ils menaient sur leur concession, au beau milieu de la Prairie, où toutes les journées, égayées par la belle saison printanière, se passaient dans un joyeux affairement. Non, Laura ne voulait rien changer à sa vie actuelle. Elle ne voulait pas travailler en ville.

CHAPITRE 2

LE PRINTEMPS

Après le premier blizzard d'octobre, l'automne dernier, ils avaient déménagé en ville et, pendant quelque temps, Laura avait suivi les cours de l'école. Puis, à cause des tempêtes, on avait dû fermer l'école.

Tout au long de cet hiver, les blizzards s'étaient déchaînés sur la ville en isolant les maisons les unes des autres, et les jours et les nuits s'étaient succédé sans que l'on vît âme qui vive ni aperçût un signe de vie au cœur de la tourmente blanche.

Durant tout l'hiver, affamés et transis, ils s'étaient serrés dans la petite cuisine. Malgré la faim et le froid, ils avaient travaillé dur dans la demi-pénombre : tressant sans relâche des bûches de foin pour alimenter le feu et moulant inlassablement du blé dans le moulin à café pour la cuisson de leur pain quotidien.

Un seul espoir les avait soutenus pendant cet hiver interminable : le mauvais temps prendrait fin un jour ou l'autre, les blizzards s'arrêteraient, le soleil brillerait à nouveau et ils pourraient quitter enfin la ville pour retourner s'installer dans leur maison, près du Grand Marais.

A présent, le printemps était revenu. La prairie du Dakota se déroulait à perte de vue sous un soleil éclatant, si verdoyante et si lumineuse qu'on avait du mal à croire que les vents et la neige l'avaient balayée sans répit au cours de ces longs mois d'hiver. Quelle joie de se retrouver sur la concession ! Rester dehors était tout ce que Laura souhaitait. Elle avait l'impression qu'elle ne se lasserait jamais plus de la caresse du soleil sur sa peau.

A l'aube, quand Laura se rendait au puits, à la lisière du marais, pour remplir le seau d'eau fraîche, le soleil se levait, inondant le ciel de couleurs somptueuses. Les sturnelles sifflaient et voletaient au-dessus des herbes délicatement argentées par la rosée. Des lapins de garenne gambadaient le long du sentier. Leurs doux yeux clairs en éveil et leurs longues oreilles dressées, ils grignotaient délicatement les tendres brins d'herbe, en guise de petit déjeuner.

Laura ne restait à la maison que le temps de déposer le seau d'eau et d'attraper le seau à lait. Elle ressortait en courant vers le champ en pente douce où Ellen broutait paresseusement la nouvelle herbe. Quand Laura la trayait, Ellen ruminait placidement.

Le lait giclait en faisant bouillonner l'écume blanche d'où s'exhalait une odeur chaude et crémeuse qui se mêlait aux senteurs du printemps.

Laura nichait ses pieds nus dans l'herbe humectée de rosée. Elle sentait la chaleur du soleil sur sa nuque mais le flanc d'Ellen contre sa joue était encore plus chaud. Le petit veau d'Ellen, attaché à son piquet d'attache, beuglait d'un ton plaintif. Ellen lui répondait par un tendre meuglement caressant.

Quand Laura avait tiré du pis les dernières gouttes crémeuses, elle rapportait le seau pesant à la maison. Maman transvasait un peu de lait chaud destiné au veau et filtrait le reste à travers un linge blanc et propre dans des jattes en fer-blanc que Laura descendait précautionneusement dans le cellier. Pendant ce temps, Maman écrémait le lait trait la veille au soir. Puis, elle versait le lait écrémé dans le seau que Laura allait porter au veau impatient.

Apprendre à boire au veau n'était pas chose facile mais cela captivait Laura. Vacillant sur ses jambes encore mal assurées, le bébé veau était né avec la conviction qu'il lui fallait donner des coups de tête pour boire. Aussi, dès qu'il reconnaissait l'odeur du lait, essayait-il de donner des coups de tête dans le seau.

Laura devait faire son possible pour empêcher le veau de renverser le lait tout en essayant de lui apprendre à boire puisqu'il ne savait pas. Elle trempait d'abord ses doigts dans le lait et les donnait à lécher à la langue rugueuse du veau, puis elle guidait doucement son museau vers le lait contenu dans le seau. Le veau reniflait le lait qu'il rejetait bruyamment par les naseaux, peu soucieux des éclaboussures qu'il provoquait. Après quoi, il donnait de vigoureux coups de tête dans le seau et il y mettait tant de force que Laura manquait de lâcher prise. De plus, le lait giclait bel et bien, aspergeant la petite tête rousse du veau et le devant de la robe de Laura.

Patiemment, Laura recommençait. Elle trempait à nouveau sa main dans le liquide crémeux que le veau léchait sur ses doigts. Laura ne perdait pas espoir de lui apprendre à boire et réussit à lui faire ingurgiter un peu de lait.

Alors, Laura déterrait les piquets d'attache. L'un après l'autre, elle conduisait Ellen, le bébé veau et la génisse d'un an sur un nouveau tapis d'herbe douce et fraîche. Elle enfonçait profondément les tiges de fer dans la terre. A ce moment-là, le soleil était tout à fait levé. Le vent jouait imperceptiblement dans le tapis d'herbe qui recouvrait la terre, ondoyant sous un ciel d'azur. Alors, Maman appelait Laura :

— Dépêche-toi, Laura! Le petit déjeuner est prêt!

Dans la maison, Laura se lavait en hâte le visage et les mains dans la cuvette. Après sa rapide toilette, elle jetait au loin l'eau de la cuvette qui se répandait en une gerbe étincelante sur l'herbe vite séchée par le soleil. Laura passait ensuite le peigne dans ses cheveux jusqu'à la longue natte qui pendait dans son dos. Avant le petit déjeuner, elle n'avait jamais le temps de dénatter ses cheveux afin de les brosser soigneusement et de refaire sa tresse. Elle ne le faisait qu'après ses tâches matinales.

Assise à sa place à côté de Marie, Laura contemplait les visages tout frais lavés de sa petite sœur Carrie et de Grace, la petite dernière, séparées d'elle par la nappe à carreaux rouges sur laquelle on avait disposé le couvert étincelant. Laura tournait les yeux vers Papa puis vers Maman dont le visage s'éclairait d'un sourire radieux. La douceur de l'air matinal entrait par la porte et la fenêtre grandes ouvertes. Laura soupirait d'aise.

Papa regardait Laura et il comprenait ce qu'elle ressentait.

— Moi aussi, je suis heureux, disait-il.

— C'est une matinée splendide, renchérissait Maman.

Après le petit déjeuner, Papa attelait les chevaux, Sam et David, et les conduisait dans la prairie, à l'est de la maison, dans le champ où il retournait la terre pour y planter du maïs. Maman programmait le travail de la journée et les jours que Laura préférait étaient ceux où elle déclarait : « Je dois m'occuper du jardin. »

Marie proposait alors avec empressement de prendre en charge les travaux ménagers de sorte que Laura pouvait aider Maman au jardin. Marie était aveugle, mais même à l'époque où la scarlatine n'avait pas encore ôté la vue à ses beaux yeux d'un bleu clair, travailler dehors, sous le soleil et dans le vent, ne l'enchantait guère. A présent, elle se réjouissait de pouvoir se rendre utile dans les soins du ménage et elle se plaisait à répéter d'un air joyeux : « Je dois travailler où mes doigts voient. Je ne sais pas faire la différence entre des pois grimpants et des mauvaises herbes accrochées à une houe, mais je peux laver la vaisselle, faire les lits et m'occuper de Grace. »

Carrie était fière également car, bien qu'elle fût petite pour son âge, elle allait sur ses onze ans et pouvait seconder utilement Marie dans les petits travaux domestiques. Ainsi, Laura se trouvait-elle libre d'accompagner Maman au jardin.

Beaucoup de gens arrivaient de l'Est, désormais. Ils s'installaient un peu partout dans la Prairie, élevant des maisons en bois sur leur concession, à l'est, au sud et à l'ouest du Grand

Marais. Il ne s'écoulait jamais beaucoup de jours sans qu'un chariot conduit par des étrangers ne traversât l'étranglement du marais en direction de la ville et ne s'en revînt. Maman répétait qu'il serait temps de faire connaissance avec leurs nouveaux voisins quand les travaux de printemps dans les champs seraient terminés. Jusque-là, le temps manquait pour faire des visites.

Papa avait une nouvelle charrue plus perfectionnée qui labourait en profondeur. Un coutre, en forme de disque, tournait à l'avant du soc de la charrue et entamait la terre. Derrière, le soc d'acier bien aiguisé fendait l'enchevêtrement des racines, et le versoir en acier soulevait et retournait une longue tranche de terre. La bande de terre retournée faisait exactement trente centimètres de large et elle était aussi régulière que si on l'avait retournée à la main.

Ils se réjouissaient tous de posséder cette nouvelle charrue. Dorénavant, même après une longue journée de travail, Sam et David se roulaient gaiement dans l'herbe. Les oreilles dressées, ils regardaient la prairie autour d'eux et broutaient avec gourmandise. Ce printemps-là, tirer la charrue à longueur de journée ne les laissait ni éreintés ni maussades, le soir venu. Et au dîner, Papa non plus n'était pas trop las pour plaisanter.

16

— Nom d'un petit bonhomme! Cette charrue fait presque le travail toute seule, affirmait-il. A notre époque, l'homme n'a plus besoin de se servir de ses muscles, avec toutes ces nouvelles inventions. Un de ces soirs, cette charrue s'avisera de continuer à labourer et quand nous regarderons dehors, le lendemain matin, nous découvrirons qu'elle a retourné la moitié d'un champ ou même un champ entier sans l'aide de personne pendant que les chevaux et moi dormions d'un profond sommeil.

Les bandes de terre retournées frangeaient le bord des sillons et exhibaient l'enchevêtrement de leurs racines. La terre des sillons nouvellement creusés était délicieusement douce et fraîche sous la plante des pieds. Carrie et Grace s'amusaient souvent à marcher pieds nus derrière la charrue. Laura regrettait parfois de ne pas pouvoir les imiter mais, avec ses quinze ans, elle avait dépassé l'âge de jouer dans la terre malgré l'odeur attirante qui s'en dégageait. De surcroît, Marie devait faire une promenade l'après-midi afin de s'aérer un peu.

Aussi, ses besognes matinales accomplies, Laura emmenait-elle Marie se promener dans la prairie. Les fleurs printanières s'épanouissaient et quelques nuages zébraient les pentes herbeuses de quelques filets d'ombre.

Laura s'étonnait que quelques années plus tôt,

17

Marie, qui en sa qualité d'aînée se montrait souvent quelque peu autoritaire, parût effectivement la plus âgée alors qu'à présent, on pouvait les croire du même âge. Laura et Marie prenaient plaisir à ces longues promenades, sous le soleil et dans le vent, pendant lesquelles elles ramassaient des violettes et des boutons d'or et ne manquaient pas de goûter à l'oseille sauvage. Les fleurs rosées, délicatement ourlées, les petites feuilles et les tiges élancées des oseilles sauvages avaient un goût piquant.

— L'oseille sauvage a le même goût que le printemps, disait Laura.

— Elle a plutôt un arrière-goût de citron, Laura, précisait gentiment Marie.

Avant de manger de l'oseille sauvage, Marie demandait toujours à Laura :

— As-tu bien fait attention? Es-tu certaine qu'il n'y a pas d'insecte dessus?

— Il n'y a jamais d'insecte, protestait Laura. Cette prairie est si *propre!* Je n'ai jamais vu un endroit aussi soigné.

— Regarde quand même, insistait Marie. Je ne veux pas prendre le risque d'avaler l'unique insecte de tout le territoire du Dakota.

Elles éclataient de rire. Marie était si enjouée, désormais, qu'elle plaisantait souvent. Sa capeline auréolait son visage serein éclairé par ses lumineux yeux bleus, et sa voix résonnait si gaiement que l'on oubliait les ténèbres qui l'environnaient.

Marie avait toujours été très gentille, si gentille que cela avait parfois exaspéré Laura. Mais à présent, quelque chose semblait changé en elle. Un jour, Laura questionna Marie à ce sujet.

— Tu t'efforçais sans arrêt d'être gentille, dit Laura, et tu y arrivais. Quelquefois, cela me rendait si furieuse que j'avais envie de te battre. Maintenant, on dirait que tu es gentille sans même faire d'efforts.

— Oh, Laura, quelle horreur! Est-ce que tu as encore envie de me frapper? demanda Marie.

— Non, plus jamais, répondit sincèrement Laura.

— Franchement? Est-ce que tu ne te montres pas généreuse simplement parce que je suis aveugle?

— Non. Je parle sincèrement, Marie. J'oublie souvent que tu es aveugle. Je... je suis heureuse que tu sois ma sœur, voilà tout. J'aimerais te ressembler, mais je suppose que je n'y parviendrai jamais.

Laura soupira.

— Je ne sais pas comment on peut être si gentille, poursuivit-elle.

— Mais, je ne le suis pas vraiment, répliqua Marie. Je m'y efforce tant que je peux, pourtant si tu savais ce qu'il m'en coûte, si tu pouvais lire en moi, tu ne chercherais pas à me ressembler car au fond, je suis égoïste et orgueilleuse.

— Ta gentillesse transparaît malgré toi, riposta Laura. On *ne peut pas* se tromper sur toi. Tu te montres toujours si patiente, sans jamais faire preuve d'égoïsme ou d'orgueil.

— Je sais pourquoi tu voulais me frapper, dit Marie. C'est parce que je me donnais l'apparence d'une bonne petite fille alors qu'en fait, j'étais vaniteuse et pour cela au moins, je méritais bien d'être frappée.

A ces mots, Laura s'indigna puis soudain elle réalisa que Marie ne lui apprenait rien. Pourtant, Laura se révoltait contre cette image de sa sœur qui ne pouvait pas correspondre avec la véritable Marie.

— Oh, non! Tu n'es pas ainsi, Marie, s'exclama Laura. Tu *es* bonne.

— Au fond, chacun d'entre nous est mauvais et enclin à faire le mal comme les éclairs sillonnent le ciel, dit Marie en se souvenant de la Bible. Mais cela ne fait rien.

— Comment! s'écria Laura.

— Je veux dire que je ne crois pas que nous devrions nous poser tant de questions sur nous-mêmes pour savoir si nous sommes bons ou non, expliqua Marie.

— Mon Dieu! Dans ce cas, comment devenir bon si l'on ne réfléchit pas à ce qu'il faut faire pour cela? demanda Laura.

— Je ne sais pas. Peut-être est-ce impossible, reconnut Marie. Je n'arrive pas exprimer ce que je sens. Mais, la question n'est pas tant de réfléchir que de... de simplement croire, ne pas douter de la miséricorde de Dieu.

Laura s'arrêta et Marie l'imita car elle n'osait pas s'aventurer sans le bras de Laura pour la guider. Marie était debout au milieu de la Prairie infinie sans voir son tapis d'herbes fleuries se balançant doucement dans le vent ni le vaste ciel bleu parcouru de blancs nuages voyageurs. Chacun sait que Dieu est bon. Mais il apparut soudain évident à Laura que Marie devait le savoir plus sûrement que quiconque.

— Tu en es certaine, n'est-ce pas? demanda Laura.

— Oui. Maintenant, je n'en doute plus

jamais, répondit Marie. Le Seigneur est mon berger, je ne manquerai de rien. Il m'a conduit dans de verts pâturages. Il m'a conduit auprès de sources limpides. Je préfère ce psaume à tous les autres. Pourquoi nous arrêtons-nous ici? Je ne sens plus l'odeur des violettes.

— Nous avons dépassé le trou des bisons [1], en discutant, dit Laura. Faisons demi-tour.

Quand elles se remirent en route, Laura contempla la pente douce qui montait depuis les hautes herbes grossières du Grand Marais jusqu'à la petite maison en bois. A cette distance, elle avait la taille d'une cage à poules, avec son toit facilement reconnaissable dont l'unique pente s'inclinait fortement. L'étable en mottes de terre dominait à peine les hautes herbes sauvages. A l'écart, Ellen, le petit veau et la génisse paissaient et, à l'est, Papa semait du maïs dans le champ fraîchement labouré.

Papa avait labouré la plus grande surface possible qu'il aurait le temps de semer avant que la terre ne devînt trop sèche. Il avait également hersé le champ qu'il avait déjà retourné l'année dernière et y avait semé de l'avoine. A présent, un sac de grains de maïs attaché par une bandoulière à l'épaule, et la houe à la main, il parcourait le champ à pas lents.

1. Voir tome 3, chapitres 7 et 30.

22

— Papa plante le maïs, dit Laura à Marie. Allons de ce côté. Voilà le trou des bisons.

— Je sais, dit Marie.

Elles s'arrêtèrent un moment, respirant à pleins poumons le riche parfum de violettes aussi onctueux que le miel. Le trou des bisons, parfaitement arrondi, s'incurvait dans la Prairie comme une cuvette d'environ un mètre de profondeur, recouverte d'une épaisse fourrure de violettes. Par centaines, par milliers, les petites fleurs mauves se dressaient vers le ciel en grappes si serrées que leurs feuilles restaient cachées.

Marie se baissa vers elles.

« Mmm », dit-elle en s'enivrant de leur parfum. Ses doigts effleuraient le bouquet compact des pétales et descendaient le long des tiges minces pour les cueillir.

Quand Laura et Marie passèrent devant le champ, Papa reconnut l'odeur pénétrante des violettes.

— Vous avez fait une belle promenade, les filles? demanda-t-il en souriant, sans toutefois arrêter son travail.

Avec la houe, il creusait un petit trou dans lequel il déposait quatre grains de maïs, puis il le recouvrait et tassait bien la terre avec sa botte avant de recommencer la même opération un peu plus loin.

Quand Carrie aperçut Laura et Marie, elle courut à leur rencontre pour enfouir son nez dans les bouquets de violettes. Carrie surveillait Grace qui ne voulait pas jouer ailleurs que dans le champ où se trouvait Papa. Les vers de terre fascinaient Grace. Quand Papa enfonçait la houe dans le sol, elle cherchait à en voir un et la vue d'un long ver se contractant et se détendant pour se propulser sous la terre en quête d'un abri, la mettait au comble de la joie.

— Même quand le ver est coupé en deux, ses moitiés continuent à avancer, dit-elle. Pourquoi, Papa?

— Pour trouver refuge sous la terre, pro-bablement, répondit Papa.

— Pourquoi, Papa? demanda Grace.

— Oh, parce que c'est moins dangereux, voilà tout, répondit Papa.

— Pourquoi, Papa? demanda Grace.

— Pourquoi aimes-tu jouer dans le champ? la questionna à son tour Papa.

— Je ne sais pas, répondit Grace. Combien de maïs as-tu mis, Papa?

— Ce sont des grains de maïs, précisa Papa. Quatre. Un, deux, trois, quatre.

— Un, deux, quatre, dit Grace. Pourquoi, Papa?

— Il y a une bonne raison à cela. Ecoute!

> « *Un pour l'étourneau,*
> *Un pour le corbeau,*
> *Deux pour les oiseaux,*
> *Deux autres, il nous faut.* »

Le jardin avait belle allure, à présent. Les rangées de radis, de laitues et d'oignons offraient toute la gamme des verts. Les premières feuilles recroquevillées des pois grimpants poussaient vers le haut et les petites tomates étalaient leur feuillage dentelé.

— J'ai fait un tour au jardin. Il faudrait le biner, dit Maman.

Laura arrangeait les violettes dans un vase pour parfumer la table du dîner.

— Je crois que les haricots seront mûrs d'un jour à l'autre, poursuivit Maman. Il fait si chaud.

Et par une chaude matinée, les haricots éclatèrent. Grace qui s'en aperçut la première courut, tout excitée, prévenir Maman. Aucune prière ne parvint à tirer Grace de la fascination où la plongeaient les haricots sautant l'un après l'autre sur le sol. Leurs tiges se détendaient comme des ressorts et deux petites feuilles jumelles s'accrochaient encore à la gousse ouverte qui jaillissait en l'air. A chaque fois qu'un haricot sautait, Grace poussait un cri de joie.

Comme Papa avait terminé de semer le maïs, il entreprit la construction de la deuxième moitié de la maison. Un matin, il posa les pièces de bois destinées à soutenir le plancher. Ensuite, il s'attaqua à la charpente des murs et Laura l'aida à la bâtir, en se repérant sur le fil à plomb pour tenir bien droite les planches qu'il clouait. Papa fixa les lattes et les cadres de deux fenêtres. Puis, il posa les pièces de bois qui soutiendraient la partie du toit, jusque-là manquante.

Laura seconda Papa dans son travail. Carrie et Grace les regardaient et ramassaient les clous que Papa laissait tomber par mégarde. Même Maman passait souvent quelques minutes près d'eux à les observer. Voir la petite cabane se transformer à vue d'œil en une vraie maison était réellement captivant.

Une fois terminée, la nouvelle maison comprenait trois pièces : deux petites chambres installées dans la partie neuve et la pièce de devant, enfin débarrassée de l'encombrement des lits.

— Voici l'occasion de faire d'une pierre deux

coups, dit Maman. Nous allons profiter du déménagement pour entreprendre le nettoyage de printemps.

Ainsi, elles lavèrent les rideaux des fenêtres et les courtepointes qu'elles suspendirent dehors pour les faire sécher. Puis, elles lavèrent les carreaux des nouvelles fenêtres et accrochèrent de nouveaux rideaux découpés dans des draps usagés mais magnifiquement ourlés par les doigts de fée de Marie. Maman et Laura installèrent les nouveaux châlits qui répandaient leur bonne odeur de bois neuf dans les deux nouvelles pièces. Laura et Carrie remplirent les toiles à matelas avec le foin le plus moelleux qu'elles tirèrent du milieu d'une grosse meule et elles firent les lits avec les draps encore chauds que Maman venait juste de repasser et les courtepointes propres qui répandaient l'air printanier de la Prairie.

Maman et Laura frottèrent et lessivèrent chaque centimètre de la pièce de devant qui faisait maintenant office de salle de séjour. L'absence des lits rendait la pièce plus spacieuse et l'on pouvait circuler aisément entre le fourneau, les placards, la table, les chaises et les étagères. Quand la maison fut impeccable et chaque meuble à sa place, elles admirèrent leur nouvel intérieur.

— Tu n'as pas besoin de me décrire la pièce,

Laura, dit Marie. Je devine comme elle est spacieuse et je sens combien tout est propre et coquet.

Par la fenêtre ouverte, le vent ballonnait doucement les rideaux blancs, amidonnés de frais. Les murs de planches et le plancher lessivés étaient d'un doux ocre. Les bouquets de fleurs des champs et d'anémones que Carrie avait placés sur la table dans la coupe bleue faisaient entrer le printemps dans la maison. Dans un coin de la pièce, l'étagère d'angle en bois brun verni donnait un air élégant et cossu.

La vive lumière de l'après-midi faisait ressortir nettement les titres dorés au dos des livres rangés sur la tablette inférieure de l'étagère. Sur la tablette supérieure, les trois boîtes en verre décorées de petites fleurs réfléchissaient la clarté dorée. Au-dessus, sur la tablette suivante, les fleurs dorées du cadran de l'horloge étincelaient ainsi que le balancier en cuivre poursuivant son inlassable va-et-vient. Toujours plus haut, sur la première tablette, la boîte à bijoux en porcelaine de Laura avec sa minuscule tasse et sa soucoupe dorées fixées sur le couvercle, prenait place à côté du petit chien en porcelaine brun de Carrie qui lui faisait face.

Sur le mur compris entre les portes des deux nouvelles chambres à coucher, Maman suspendit la console en bois que, bien des années

28

auparavant, Papa avait sculptée dans les Grands Bois du Wisconsin pour lui offrir en cadeau de Noël. Tous les détails de la console, les petites fleurs et leurs feuilles, la petite plante grimpante, au bord de l'étagère, et les feuilles plus larges rejoignant la grande étoile, n'avaient rien perdu de leur fraîcheur et restaient tels que ce jour où Papa les avait façonnés dans le bois avec son canif. Quant à la petite Bergère en porcelaine de Maman, qui remontait à une époque dont Laura ne pouvait se souvenir, elle se dressait sur son socle, rose et blanche, avec son immuable sourire serein.

C'était vraiment une très jolie pièce.

CHAPITRE 3

L'INDISPENSABLE CHATON

Les feuilles de maïs, semblables à de longs rubans, flottaient autour des premiers épis qui se balançaient majestueusement le long des sillons. Un après-midi, Papa traversa le champ pour examiner avec attention sa récolte et quand il rentra à la maison, son visage trahissait la lassitude et l'exaspération.

— Je vais devoir replanter plus de la moitié du champ de maïs, annonça-t-il.

— Oh, pourquoi, Papa? demanda Laura.

— A cause des chiens de prairie [1], répondit Papa. Il faut bien s'y attendre quand on plante pour la première fois du maïs dans une terre nouvelle.

Grace se blottissait contre les jambes de Papa. Il la souleva, chatouillant ses joues avec sa barbe pour la faire rire. Grace se souvint de la comptine sur les semences et une fois confortablement installée sur les genoux de Papa, elle récita fièrement :

> « *Un pour l'étourneau,*
> *Un pour le corbeau,*
> *Deux pour les oiseaux,*
> *Deux autres, il nous faut.* »

— Celui qui a trouvé cela ne connaissait pas l'Ouest, apparemment, leur dit Papa. Nous devons inventer des paroles mieux adaptées à la région dans laquelle nous vivons. Par exemple :

> « *Un grain pour un rongeur,*
> *Deux grains pour deux rongeurs,*
> *Trois grains pour trois rongeurs,*
> *Quatre grains volés au semeur.* »

— Oh, Charles, protesta Maman en riant.

Maman ne trouvait pas les calembours très

1. Rongeur de la taille d'un gros rat, avec de larges bajoues.

amusants mais elle ne pouvait s'empêcher de rire devant le regard d'enfant pris en faute que lui lançait Papa quand il s'y essayait.

Papa n'avait pas plus tôt semé le maïs que les chiens de prairie avaient jeté leur dévolu dessus. Ils avaient investi le champ, s'arrêtant à l'endroit exact où Papa avait enfoui les grains et les déterrant avec leurs petites pattes. Leur absence totale d'hésitation quant à l'emplacement des grains ne manquait pas d'être étonnant.

De même qu'il était stupéfiant que ces petits rongeurs, trottinant, creusant la terre puis se posant sur leurs pattes de derrière pour grignoter délicatement un grain de maïs serré entre leurs petites pattes, eussent dévoré plus de la moitié du champ de maïs.

— Quel fléau! s'exclama Papa. J'aimerais bien que nous ayons un chat de la trempe de Suzanne la Noiraude. Elle les aurait décimés en moins de rien.

— Il faudrait aussi un chat pour la maison, approuva Maman. Les souris se reproduisent si rapidement que je ne peux plus laisser de nourriture à découvert dans le placard. Pouvons-nous nous en procurer un, Charles?

— Il n'y a pas un seul chat dans toute la région, que je sache, répondit Papa. En ville, les commerçants se plaignent, également. Wilmarth parle même de faire venir un chat de l'Est.

Cette nuit-là, Laura fut tirée soudainement d'un profond sommeil. A travers la cloison qui séparait les deux chambres, elle perçut un grommellement, puis tout à coup quelque chose s'écrasa par terre avec un bruit sourd. Au même moment, elle entendit Maman qui disait :

— Charles! Que se passe-t-il?

— J'ai fait un rêve, répondit Papa, à voix basse. J'ai rêvé qu'un barbier me coupait les cheveux.

Maman parlait doucement également afin de ne réveiller personne car c'était le milieu de la nuit.

— Ce n'est qu'un rêve. Recouche-toi et ne prends pas toutes les couvertures.

— J'entendais nettement le clic-clac de ses grands ciseaux près de mon visage, insista Papa.

— Oh, n'y pense plus et essaie de te rendormir, dit Maman en bâillant.

— Il me *coupait* les cheveux, répéta Papa.

— C'est bien la première fois que je te vois te mettre dans tous tes états à cause d'un malheureux rêve, dit Maman en bâillant une nouvelle fois. Retourne-toi, détends-toi et tu l'oublieras.

— Caroline, on me *coupait* les cheveux, continua Papa.

— Qu'est-ce que tu veux dire? demanda Maman, plus réveillée à présent.

— Je te le répète, dans mon sommeil, je

portais la main à ma tête et... Oh, touche mes cheveux!

— Charles! Tes cheveux sont *coupés!* s'exclama Maman.

Laura entendit Maman se redresser et s'asseoir dans le lit.

— Je le sens, dit Maman, il y a un endroit...

— Oui, c'est là, dit Papa. Je portais la main à...

— Il y a une partie aussi grande que la paume de ma main complètement rasée.

— J'ai porté la main à ma tête, reprit Papa, et j'ai saisi... quelque chose...

— Quoi? Qu'est-ce que c'était? s'alarma Maman.

— Je crois, je crois que c'était une souris, répondit Papa.

— Oh! Où est-elle? s'écria Maman.

— Je ne sais pas. Je l'ai jetée violemment par terre, le plus vite possible, dit Papa.

— Mon Dieu! soupira Maman, atterrée. En effet, ce devait être une souris qui te coupait les cheveux pour faire son nid.

Après quelques instants, Papa ajouta :

— Caroline, je jure...

— Non, Charles, murmura Maman.

— Bon, je ne jurerai pas pour te faire plaisir; mais je ne peux absolument pas passer mes nuits à guetter les souris pour préserver ma chevelure.

— Ah, si nous avions un chat..., souhaita Maman sans grand espoir.

Le lendemain matin, on trouva une souris morte près du mur de la chambre contre lequel Papa l'avait jetée. Et Papa apparut au petit déjeuner avec une tonsure derrière la tête, là où la souris avait rongé ses cheveux.

Cela ne l'aurait pas tant dérangé s'il n'avait dû se rendre à une réunion de délégués du comté avant laquelle ses cheveux n'auraient pas le temps de repousser. La région se peuplait si vite que l'on préparait déjà l'organisation d'un comté et Papa se devait d'y participer en qualité du plus ancien pionnier.

La réunion devait avoir lieu dans la propriété des Whiting, à six kilomètres au nord-est de la ville. La présence de Mme Whiting ne faisait aucun doute et Papa serait obligé d'ôter son chapeau.

— Cela ne fait rien, le consola Maman. Tu n'as qu'à leur expliquer comment c'est arrivé. Il y a probablement des souris aussi, chez eux.

— Nous aurons à discuter de choses autrement plus importantes, dit Papa. Non, il vaut mieux les laisser penser que c'est la façon dont ma femme me coupe les cheveux.

— Charles! Tu ne peux pas laisser croire cela! s'exclama Maman avant de se rendre compte qu'il la taquinait.

Quand Papa partit en chariot, le jour venu, il dit à Maman de ne pas l'attendre pour le déjeuner. Il avait une route de plus de quinze kilomètres à faire, sans compter le temps que durerait la réunion.

Lorsque Papa arrêta le chariot près de l'étable à son retour, il était l'heure de dîner. Il dételat si rapidement les chevaux qu'il se dirigeait déjà vers la maison au moment où Carrie et Grace sortaient en courant à sa rencontre.

— Les filles! Caroline! appela-t-il. Devinez ce que je rapporte!

Papa gardait la main dans sa poche et ses yeux pétillaient.

— Du sucre d'orge! dirent en chœur Carrie et Grace.

— Mieux que cela, dit Papa.

— Une lettre? demanda Maman.

— Un journal, dit Marie. Le *Progrès,* peut-être.

Laura regardait la poche de Papa. Elle était certaine que quelque chose bougeait sous la main de Papa.

— Laissons la surprise à Marie, décida Papa.

Il sortit la main de sa poche et découvrit un minuscule chaton blanc dans le creux de sa paume.

Papa le déposa délicatement dans la main de Marie qui caressa du bout des doigts le pelage

soyeux. Elle effleura à peine les oreilles, le nez et les pattes minuscules.

— Un petit chat, dit-elle, émerveillée. Un tout petit chat.

— Il n'ouvre pas encore les yeux, lui dit Laura. Son duvet de bébé a les mêmes reflets bleutés que la fumée de tabac. Sa tête, son cou, ses pattes et le bout de sa queue sont blancs. Ses minuscules pattes blanches sont de petites merveilles.

Elles se penchèrent au-dessus du soyeux chaton aveugle et perdu dans la main de Marie. Sa petite bouche rose s'ouvrit, esquissant un miaulement muet.

— Il est trop jeune pour qu'on l'enlève à sa mère, dit Papa. Mais je ne devais pas prendre le risque de le laisser à quelqu'un d'autre. Whiting a reçu une chatte de l'Est. Elle a eu cinq chatons et il en a déjà vendu quatre dans la journée, cinquante *cents* chacun.

— Tu n'as pas payé ce chaton cinquante *cents,* Papa? demanda Laura, incrédule.

— Si, répondit Papa.

— Je ne te le reproche pas, Charles, s'empressa de dire Maman. Un chat dans cette maison est tout à fait indispensable.

— Pourrons-nous élever un si petit chat? demanda Marie, anxieuse.

— Mais oui, la rassura Maman. Nous devrons le nourrir souvent, nettoyer soigneusement ses yeux et le garder bien au chaud. Laura, va chercher une petite boîte et remplis-la avec des morceaux d'étoffe moelleuse que tu trouveras dans la boîte à chiffons.

Laura agença dans une boîte en carton un nid douillet pour le chaton pendant que Maman faisait réchauffer un peu de lait. Ils observèrent Maman qui le soulevait délicatement dans sa main pour lui donner le lait à la petite cuiller. Les pattes minuscules du chaton s'agrippaient

38

au rebord de la cuiller et sa bouche rose s'efforçait de laper. Goutte après goutte, il réussit à avaler un peu de lait tiède même si quelques gouttes laiteuses arrosèrent son menton. Puis, elles le déposèrent dans son nid où il se blottit sous la main chaude de Marie avant de s'endormir.

— Il a une santé de fer et il deviendra très robuste, déclara Maman. Vous verrez.

CHAPITRE 4

LES JOURS HEUREUX

Papa raconta que la ville poussait comme un champignon. De nouveaux pionniers s'y entassaient, pressés de se construire une maison. Un après-midi, Papa et Maman se rendirent en ville à pied pour participer à une réunion qui devait décider de la construction d'une église, et peu après, on entreprit les fondations nécessaires à son édification. Comme il n'y avait pas assez de charpentiers pour l'ampleur du travail, Papa proposa son aide.

Tous les matins, après s'être occupé des bêtes,

Papa prenait le chemin de la ville, emportant avec lui son déjeuner dans un seau en fer-blanc. Il commençait son travail à sept heures sonnantes pour s'arrêter le soir à six heures et demie avec juste une courte interruption à midi. Il était de retour à la maison pour le dîner que l'on prenait un peu plus tard qu'à l'habitude. Chaque semaine Papa gagnait quinze dollars.

Des jours heureux s'écoulèrent ainsi. Le jardin promettait d'être florissant. Le blé et l'avoine poussaient bien. Le veau était sevré, de sorte qu'il y avait du lait écrémé en quantité suffisante pour faire du fromage maigre, mais aussi du beurre et du babeurre obtenus à partir du barattage de la crème. De surcroît, Papa gagnait beaucoup d'argent.

Quand Laura travaillait dans le jardin, elle réfléchissait souvent au moyen d'envoyer Marie au collège. Cela faisait presque deux ans qu'ils avaient entendu parler d'un collège pour aveugles dans l'Iowa. Depuis, Laura y avait pensé tous les jours, priant chaque soir pour que Marie pût s'y rendre. Le plus terrible dans l'infirmité qui frappait Marie tenait au fait que cela entravait considérablement ses études. Elle aimait tant lire et étudier. Son plus profond désir avait toujours été de devenir institutrice, mais sa cécité l'obligeait à y renoncer. Quant à Laura, le métier d'institutrice ne l'avait jamais tentée;

pourtant, il ne lui restait pas d'autre solution, à présent. Elle devait étudier sérieusement afin d'enseigner dès qu'elle aurait l'âge requis et contribuer ainsi à payer les cours de Marie au collège grâce à son salaire.

« Je n'ai pas à me plaindre », pensait Laura pendant qu'elle binait. « Je ne suis pas aveugle. »

Laura voyait la houe, les couleurs nuancées de la terre alentour et la lumière qui jouait dans le feuillage des pois grimpants. Il lui suffisait de lever les yeux pour voir des kilomètres de longs rubans de prairie verte, la ligne bleue du ciel à l'horizon, les oiseaux voleter, Ellen et les veaux brouter l'herbe tendre, les différents bleus du ciel et les grosses masses floconneuses des nuages d'été. Tout cela constituait un trésor inépuisable quand Marie ne connaissait que les ténèbres.

Laura se mit à espérer ardemment, bien que sans trop y croire, que Marie pourrait peut-être partir au collège, à l'automne. Papa gagnait tellement d'argent. Si Marie pouvait seulement y entrer cette année, Laura étudierait sans relâche afin de commencer à enseigner dès ses seize ans et son salaire permettrait à Marie de rester au collège le temps nécessaire à ses études.

Elles avaient toutes besoin de nouvelles robes et de nouvelles chaussures. Papa devrait également acheter de la farine, du sucre, du thé, du sel et de la viande salée. Il fallait aussi rembourser le bois qui avait servi à agrandir la maison et acheter du bois pour l'hiver, sans compter les impôts. Mais cette année, il y avait les produits du jardin, le maïs et l'avoine. D'ici deux ans, ils pourraient vivre entièrement des produits de leur terre.

Avec des poules et un cochon, ils auraient même de la viande. La région était bien peuplée désormais, on ne trouvait presque plus de gibier. Il fallait acheter de la viande ou élever son propre bétail. L'année prochaine, Papa pourrait peut-être acheter des poules et un cochon. Quelques pionniers en apportaient avec eux.

Un soir, Papa rentra à la maison, le visage radieux.

— Caroline, les filles, vous ne devinerez jamais! s'écria-t-il. J'ai rencontré Boast en ville, aujourd'hui, et Mme Boast nous fait dire qu'*elle a mis une poule à couver pour nous.*

— Oh, Charles! s'exclama Maman.

— Dès que les poussins seront assez grands pour se nourrir seuls, M. Boast nous apportera toute la couvée, dit Papa.

— Oh, Charles, quelle *bonne* nouvelle! Cette attention ne m'étonne pas de Mme Boast, dit Maman avec gratitude.

« Est-ce qu'elle va bien? »

— Très bien, paraît-il. Il y a tant de travail à

la ferme qu'elle n'a pas trouvé le temps d'aller en ville, ce printemps, mais elle pense bien à nous.

— Toute une couvée, cela doit représenter une douzaine de poussins, dit Maman. Peu de gens pourraient faire preuve de la même générosité.

— Ils n'ont pas oublié la façon dont tu as pris soin d'eux quand ils sont arrivés ici, juste après leur mariage. Ils avaient perdu leur chemin et nous étions les seuls êtres humains à plus de cinquante kilomètres à la ronde, lui rappela Papa. Boast en parle souvent.

— Mais c'était peu de choses, dit Maman, alors qu'une couvée entière... Cela nous fait gagner un an.

S'ils arrivaient à élever les poussins en faisant bien attention aux faucons, aux belettes et aux renards, certains deviendraient des poulettes cet été et, l'année prochaine, elles commenceraient à pondre et il y aurait des couvées. L'année suivante, ils auraient de jeunes coqs à frire et de nouvelles poules grossiraient leur basse-cour. Alors, ils pourraient manger des œufs frais et quand une poule serait trop vieille pour pondre, Maman ferait une croustade de volaille.

— Et si l'année prochaine, Papa peut acheter un jeune porc, dit Marie, dans deux ans nous nous régalerons avec des œufs au bacon, sans compter le lard, les saucisses, les côtes de porc et le fromage de tête!

— Et Grace pourra faire rôtir la queue du cochon! intervint Carrie.

— Pourquoi? dit Grace. Comment on fait?

Carrie se souvenait avec plaisir de l'époque où l'on mangeait du porc frais, mais Grace n'avait jamais tenu la queue dépiautée d'un cochon devant la grille du fourneau et elle ne pouvait pas savoir, par conséquent, quelle appétissante teinte brune elle prenait en grésillant. Grace n'avait jamais vu Maman sortir du four la lèchefrite pleine de côtes de porc juteuses et alléchantes, ni humé les odorantes saucisses en croûte, ni arrosé ses crêpes de leur jus onctueux. Grace se souvenait seulement du Dakota et la seule viande qu'elle connût était celle de porc salé que Papa avait rapportée à la maison.

Mais un jour ou l'autre, l'époque heureuse où il ne manquait de rien reviendrait car la chance semblait vraiment leur sourire. Avec tout le travail à faire et toutes les choses dont il fallait s'occuper, on ne voyait pas le temps passer. L'absence de Papa dans la journée ne leur pesait pas trop tant leurs différentes tâches les absorbaient. Et tous les soirs, à son retour de la ville, Papa leur rapportait les dernières nouvelles et prêtait une oreille attentive au récit détaillé de leur journée.

Un jour, il se passa un événement si incroyable qu'elles attendirent avec impatience la fin de la journée, brûlant de le lui raconter et sûres qu'il n'en croirait pas ses oreilles.

Maman faisait les lits et Laura et Carrie lavaient la vaisselle du petit déjeuner quand la petite chatte poussa des miaulements à fendre l'âme. Elle ouvrait les yeux, à présent, et elle courait maladroitement sur le plancher après un petit morceau de papier que Grace tirait au bout d'une ficelle pour l'amuser.

— Grace, fais attention! s'exclama Marie. Tu dois lui faire mal.

— Je ne lui fais pas mal, répondit Grace d'un ton convaincu.

Avant que Marie pût répondre, le chaton miaula de nouveau.

— Arrête, Grace! dit Maman depuis la chambre à coucher. Est-ce que tu lui as marché sur la queue?

— Non, Maman, répondit Grace.

Les miaulements pitoyables de la petite chatte ne cessaient toujours pas et Laura, en train de faire la vaisselle, se retourna pour dire :

— Grace, laisse le chat tranquille, à la fin!

— Je ne lui fais rien! assura Grace, au bord des larmes. Je ne sais pas où il est.

La petite chatte était invisible. Carrie regarda sous le fourneau et derrière la boîte en bois. Grace se glissa sous les pans de la nappe pour regarder sous la table. Maman jeta un coup d'œil sous la tablette inférieure de l'étagère d'angle et Laura fouilla les deux chambres à coucher.

Elles entendirent alors un nouveau miaulement et Maman la découvrit enfin derrière la porte d'entrée. Là, entre le battant de la porte grande ouverte et le mur, la petite chatte retenait prisonnière une souris. La souris adulte, d'une grande taille, était presque aussi grosse que la petite chatte, encore mal assurée sur ses pattes, et elle se débattait, se tordant en tous sens et donnant des coups de dent. La chatte miaulait chaque fois qu'elle sentait la morsure de la souris, mais sans lâcher prise. Raidie sur ses petites pattes, elle serrait à pleines dents la peau lâche de sa proie. Ses pattes de bébé chat manquaient de force et elle faillit tomber. La souris la mordait toujours.

Maman se saisit rapidement du balai.

— Ramasse la chatte, Laura. Je m'occupe de la souris.

Bien qu'à contrecœur, Laura se préparait à obéir.

— Oh, je n'en ai pas envie, Maman, ne put-elle s'empêcher de dire. C'est un combat entre la chatte et la souris.

Juste au moment où Laura s'apprêtait à la saisir, la petite chatte, dans un dernier effort prodigieux, bondit sur la souris, la maintint à terre sous ses deux pattes de devant et miaula une nouvelle fois en sentant la morsure acérée ; puis elle enfonça d'un coup sec ses petites dents pointues dans le cou de la souris qui poussa un cri perçant et s'affaissa. La petite chatte n'avait pas eu besoin d'aide pour venir à bout de la souris ; sa première souris.

— Eh bien, je me demande qui a jamais entendu parler d'un *combat* entre un chat et une souris ! s'exclama Maman.

La petite chatte aurait eu besoin de sa mère pour lécher ses blessures et récompenser son exploit par un ronronnement plein de fierté. Maman lava soigneusement les morsures et lui donna du lait chaud. Carrie et Grace caressèrent son petit museau et le poil soyeux de sa tête. Blottie bien au chaud sous la main de Marie, la petite chatte s'endormit bientôt. Grace attrapa la souris morte par la queue et la jeta au loin. Tout le reste de la journée, elles imaginèrent la stupéfaction de Papa quand il entendrait raconter cette histoire.

Elles attendirent patiemment le moment où il

prit place à table après s'être lavé et peigné. Laura répondit aux questions qu'il lui posa au sujet des bêtes ; elle avait donné à boire aux chevaux, à Ellen, au petit veau, à la génisse et elle avait déplacé leurs piquets d'attache. Il faisait si bon la nuit, désormais, que Laura n'avait pas besoin de les rentrer à l'étable. Ils dormaient à la belle étoile et se réveillaient en plein air, broutant quand bon leur semblait.

Alors vint le moment tant attendu de raconter à Papa la prouesse de la chatte.

Il assura qu'il n'avait jamais entendu parler d'une telle chose. Il posa son regard sur la petite chatte blanche au pelage légèrement bleuté qui traversait la pièce à petits pas feutrés, sa longue queue mince fièrement redressée.

— Ce chat deviendra le meilleur chasseur du comté, affirma Papa.

La journée prit fin dans un sentiment de profond bien-être.

Ils se trouvaient tous réunis et, à part la vaisselle du dîner, il n'y avait plus rien à faire jusqu'au lendemain. Ils mangèrent avec plaisir le bon pain, le beurre, les pommes de terre rissolées, le fromage maigre et les feuilles de laitue arrosées de vinaigre et de sucre.

Par-delà la porte et la fenêtre ouvertes, la prairie faisait une tache sombre sous le ciel encore légèrement lumineux, piqueté peu à peu par les premières étoiles du soir. Un vent léger entrait dans la maison et mêlait à l'agréable tiédeur de l'air, parfumé par le thé et les bonnes odeurs de cuisine, la fraîcheur de la prairie, sans effacer pour autant la bonne odeur de propre et celle, encore vivace, des nouvelles planches de bois.

La certitude que le lendemain ressemblerait au jour présent, quoique légèrement différent, comme la journée irremplaçable qui venait de s'écouler, accentuait encore la sensation du paisible bonheur qui habitait Laura. Mais Laura n'en avait pris pleinement conscience qu'au moment où Papa lui avait posé la question : « Que dirais-tu de travailler en ville, Laura ? »

CHAPITRE 5

UN TRAVAIL EN VILLE

Il était impossible d'imaginer quel travail pouvait convenir à une jeune fille dès lors que l'on écartait celui de servante dans un hôtel.

— C'est une idée de Clancy, dit Papa.

M. Clancy était l'un des nouveaux commerçants. Papa travaillait à la construction de son magasin.

— Nous avons bientôt terminé, annonça Papa. Clancy a commencé à ranger son stock de marchandises. La mère de sa femme est venue dans l'Ouest avec eux et va faire des chemises.

51

— Faire des chemises? dit Maman, surprise.

— Oui. Il y a tant de célibataires dans la région qui vivent seuls sur leur concession que Clancy s'imagine qu'il fera beaucoup d'affaires en leur vendant des chemises puisqu'ils n'ont pas de femme pour s'en occuper.

— C'est une bonne idée, reconnut Maman.

— Bien sûr! En plus, Clancy est un malin, dit Papa. Il a acheté une machine à coudre.

— Une machine à coudre? Tu veux dire comme celle que nous avons vue dans l'*Inter-Océan?* Comment fonctionne-t-elle? demanda Maman, intéressée.

— Comme on peut l'imaginer, répondit Papa. On appuie sur la pédale avec le pied, cela met en route la courroie et l'aiguille monte et descend. Un dispositif spécial sous l'aiguille coud aussi l'autre côté du tissu. Clancy a fait une démonstration devant quelques-uns d'entre nous. La machine marche à toute vitesse et donne une couture aussi régulière que possible.

— Je me demande combien coûte une telle machine, dit Maman.

— Certainement beaucoup trop pour des gens comme nous, dit Papa. Mais Clancy considère la dépense qu'il a faite comme un investissement. Les bénéfices qu'il en tirera le rembourseront largement.

— Oui, bien sûr, dit Maman.

Laura savait que Maman pensait au temps précieux qu'une machine à coudre ferait gagner mais même s'ils avaient pu se permettre une telle dépense, cela aurait été de la folie d'acheter une machine à coudre pour les besoins d'une seule famille.

— Attend-il que Laura apprenne à s'en servir?

Laura s'inquiéta : elle ne voulait pas encourir la responsabilité d'endommager une machine si coûteuse.

— Oh, non! C'est Mme White qui s'en sert, répliqua Papa. Elle a besoin d'une couturière habile pour la finition des chemises.

Papa se tourna vers Laura.

— Mme White m'a demandé si je connaissais quelqu'un susceptible de venir à bout d'un tel travail. Je lui ai assuré que tu cousais très bien et elle désire que tu viennes l'aider. Toute seule, elle n'arrive pas à venir à bout de toutes les commandes que Clancy a déjà reçues. Elle a précisé qu'elle te donnerait vingt-cinq *cents* par jour en plus du repas de midi, pour un travail rapide et soigné.

Laura calcula rapidement dans sa tête. Cela faisait un dollar cinquante *cents* par semaine, un peu plus de six dollars par mois. Si Mme White était contente de son travail, elle pourrait peut-être travailler tout l'été. Elle gagnerait quinze dollars ou même vingt et cet argent aiderait à payer les cours de Marie au collège.

Laura ne voulait pas travailler en ville parmi des étrangers, mais elle ne pouvait pas perdre une occasion de gagner quinze dollars ni même seulement dix ou cinq.

— Tu veux bien, Maman? demanda Laura.

Maman soupira.

— Cela ne me plaît pas beaucoup, mais puisque ton Papa t'accompagnera et qu'il restera en ville, lui aussi, c'est différent. Oui, si tu le veux, je t'y autorise.

— Je... Je ne veux pas te laisser seule avec tout le travail à faire, balbutia Laura.

Carrie offrit spontanément son aide. Elle pouvait faire les lits, balayer, laver la vaisselle et sarcler le jardin. Maman dit que Marie lui serait aussi d'un grand secours, dans la maison, et maintenant que les bêtes restaient dehors, s'en occuper n'était pas si prenant.

— Tu nous manqueras, Laura, dit Maman, mais nous pourrons nous débrouiller.

Le lendemain matin, il n'y eut pas une minute à perdre. Laura prit le seau et alla traire Ellen. Rapidement, elle fit sa toilette, brossa ses cheveux et accrocha sa natte au-dessus de sa tête. Elle enfila la moins usagée de ses robes de calicot, ses bas et ses chaussures, puis enroula son dé à coudre dans un petit tablier fraîchement repassé.

Laura avala son petit déjeuner qui lui parut insipide. Elle attacha sa capeline et rejoignit Papa. Tous deux devaient commencer leur travail à sept heures.

Les sturnelles égayaient de leur chant la fraîcheur matinale. Des oiseaux aquatiques aux longues pattes ballantes et au long cou tendu, volaient au-dessus du Grand Marais, en poussant des cris tonitruants. C'était une matinée radieuse, mais Papa et Laura étaient pressés : ils faisaient la course avec le soleil.

Sans effort, le soleil se leva enfin tandis qu'ils allongeaient le pas sur la route de la Prairie, droit vers le nord, en direction de la ville.

La ville avait tellement changé qu'on ne la reconnaissait pas. Deux nouveaux pâtés de maisons sur le côté ouest de la Grand'rue arboraient leurs nouvelles constructions en bois de pin jaune. Un nouveau trottoir en bois les prolongeait. Papa et Laura n'avaient pas le temps de s'attarder. Ils pressèrent le pas, marchant l'un derrière l'autre le long de l'étroit chemin poussiéreux de l'autre côté de la rue.

De ce côté-là, la Prairie s'étendait encore intacte jusqu'à l'étable et la maison de Papa, au coin de la Grand'rue et de la Deuxième rue. Mais, de l'autre côté de la Deuxième rue se dressait la charpente d'un nouvel édifice. Le chemin se poursuivait un peu plus loin, le long des terrains à bâtir, jusqu'au nouveau magasin de M. Clancy.

L'intérieur du magasin sentait encore la bonne odeur du pin nouvellement raboté qui s'ajoutait à celle, particulière, de l'apprêt des étoffes. Derrière deux longs comptoirs, les murs portaient des étagères sur lesquelles s'entassaient des rouleaux de tissu de calicot, de percaline, de batiste, de laine peignée, de cachemire, de tissu de flanelle et même de soie.

Il n'y avait pas d'articles d'épicerie, ni de quincaillerie, ni de chaussures, ni d'outils. C'était la première fois que Laura entrait dans un magasin où l'on vendait exclusivement du tissu et des articles de mercerie.

Sur le côté droit se trouvait un petit comptoir dont le dessus en verre laissait voir toutes sortes de boutons cousus sur des morceaux de carton, des sachets d'aiguilles et d'épingles. Sur le comptoir adjacent, un casier exhibait des bobines de fil à coudre de toutes les couleurs. Ces fils colorés chatoyaient gaiement sous un rayon de soleil filtrant à travers la fenêtre.

La machine à coudre trônait au bout de l'autre comptoir, près de la fenêtre. Les pièces en nickel, la longue aiguille et le bois verni étincelaient. Une bobine de fil blanc se dressait au-dessus de son bras noir. Laura n'y aurait touché pour rien au monde.

M. Clancy déroulait des pièces de calicot devant deux clients, deux hommes portant des chemises en mauvais état. Une femme forte, aux cheveux noirs tirés en chignon, épinglait un patron de papier journal sur un morceau de calicot à carreaux étendu sur le comptoir, près de la machine à coudre. Papa ôta son chapeau et lui dit bonjour.

— Mme White, voici ma fille, Laura, dit-il.

Mme White retira les épingles de sa bouche.

— J'espère que tu travailles vite et soigneusement, dit-elle. Sais-tu coudre des biais et faire
de solides boutonnières?

— Oui, Madame, répondit Laura.

— Bon, alors accroche ton chapeau à ce clou,
là-bas, et mets-toi au travail, dit Mme White.

Papa encouragea Laura d'un sourire et disparut.

Laura espérait que la peur qu'elle éprouvait
finirait par disparaître avec le temps. Elle
suspendit sa capeline, mit son tablier et enfila
son dé. Mme White lui tendit les différentes
pièces d'une chemise à bâtir, en l'invitant à
s'asseoir à côté de la fenêtre, près de la machine.

D'un mouvement vif, Laura recula légèrement
la chaise au dossier droit afin que la machine à
coudre la cachât en partie des regards indiscrets
de la rue. Elle baissa la tête sur son ouvrage et
commença à faufiler.

Mme White ne prononçait pas un mot. D'une
main fébrile, elle appliquait nerveusement le
patron sur le tissu et découpait chemise sur
chemise avec une longue paire de ciseaux. Dès
que Laura avait fini de faufiler une chemise,
Mme White la lui prenait des mains et lui en
donnait une autre.

Au bout d'un moment, Mme White s'assit à la
machine. Elle fit tourner la roue avec la main,
puis avec son pied, elle actionna rapidement la

pédale placée sous la machine, et la roue se mit à tourner à toute vitesse en ronflant.

Le ronflement bruyant de la machine bourdonnait aux oreilles de Laura comme le vrombissement d'un gigantesque bourdon. La roue propulsée à toute vitesse faisait une tache sombre et floue et l'aiguille n'était plus qu'un trait lumineux immobile. Les mains dodues de Mme White agrippaient le tissu, le poussant rapidement sous l'aiguille.

Laura faufilait le plus vite possible. Elle posait la chemise faufilée à sa droite sur la pile qui diminuait rapidement, à gauche de Mme White, et elle saisissait les pièces de la chemise suivante sur la pile posée au bout du comptoir. Mme White prenait une à une les chemises faufilées sur le dessus de la pile, les cousait à la machine et les empilait sur sa droite.

Un véritable ballet se constituait dans le mouvement continu des chemises passant de la pile du comptoir aux mains de Laura puis presque aussitôt aux mains de Mme White avant d'aboutir enfin sur le dessus d'une dernière pile à droite de celle-ci. Cela rappelait à Laura la construction de la voie de chemin de fer sur la Prairie et l'enchaînement des cercles constitués par les hommes et les attelages [1]. Mais là, seules

1. Voir tome 3, chapitre 10.

les mains de Laura s'activaient, poussant l'aiguille et la faisant passer le plus vite possible à travers le tissu.

Laura commençait à sentir des douleurs aux épaules et dans le bas du cou. Son corps était endolori et ses jambes lasses se faisaient lourdes. Le ronflement bruyant de la machine bourdonnait toujours à ses oreilles.

Soudain la machine se tut et le silence retomba.

— Voilà! dit Mme White.

Elle avait terminé de coudre la dernière chemise.

Laura devait encore assembler une manche et faufiler une emmanchure pour terminer la chemise qu'elle avait commencée et les pièces d'une dernière chemise attendaient sur le comptoir.

— Je vais faufiler celle-là, dit Mme White en l'attrapant. Nous sommes en retard.

— Oui, Madame, dit Laura.

Laura sentait qu'elle n'avait pas travaillé suffisamment vite, bien qu'elle se fût appliquée de son mieux.

Un homme corpulent passa la tête par la porte. Son visage poussiéreux se couvrait d'une barbe rousse de plusieurs jours. Il cria :

— Mes chemises sont prêtes, Clancy?

— Elles seront prêtes en début d'après-midi, répondit M. Clancy.

Quand l'homme fut parti, M. Clancy demanda à Mme White quand les chemises seraient prêtes. Mme White répondit qu'elle ne voyait pas de quelles chemises il s'agissait. Alors M. Clancy lâcha un juron.

Faufilant de plus belle, Laura se fit toute petite sur sa chaise. M. Clancy saisit une poignée de chemises sur la pile et les jeta presque à la tête de Mme White. Criant toujours et jurant, il dit qu'elle devait les retrouver avant le déjeuner sinon...

— Je ne me laisserai pas traiter ainsi! s'écria Mme White qui suffoquait de colère et dont les yeux lançaient des éclairs. Pas plus par toi que par l'un de ces nouveaux colons irlandais!

Laura ne voulut pas entendre ce que M. Clancy répondit. De toutes ses forces, elle souhaitait disparaître. Mais Mme White l'appela pour aller déjeuner. Elles entrèrent dans la cuisine située derrière la boutique. M. Clancy les suivit en tempêtant.

Il faisait très chaud dans la cuisine où l'on se bousculait au milieu d'un grand tapage. Mme Clancy mettait le couvert pendant que trois petites filles et un garçon essayaient de se faire tomber de leur chaise. M. Clancy, sa femme et Mme White s'assirent et mangèrent de bon cœur sans pour autant arrêter de se quereller, élevant la voix de plus belle pour se faire entendre. Laura n'arrivait pas à comprendre l'objet de leur querelle. Elle n'aurait pas su dire si M. Clancy se disputait avec sa femme ou avec sa belle-mère ni si Mme White et sa fille se disputaient avec lui ou entre elles.

Leur colère paraissait si grande que Laura craignait qu'ils en vinssent aux mains. Quand M. Clancy disait : « Passe-moi le pain » ou « Remplis ma tasse, s'il te plaît », Mme Clancy s'exécutait mais ils continuaient néanmoins à s'injurier en criant à tue-tête. Les enfants ne prêtaient pas attention à ce qui se passait autour d'eux. Laura était si retournée qu'elle ne pouvait avaler une bouchée. Elle désirait seulement s'en aller et dès qu'elle put s'échapper, elle retourna à son travail.

M. Clancy sortit de la cuisine en sifflotant comme après un agréable et paisible repas de famille.

— Ces chemises seront prêtes dans combien de temps? demanda-t-il à Mme White d'un air enjoué.

— Dans moins de deux heures, promit Mme White. Nous allons nous y mettre toutes les deux.

Laura songea à ce que Maman répétait souvent : « Il faut de tout pour faire un monde. »

En deux heures de temps, Mme White et Laura terminèrent les quatre chemises. Laura faufila soigneusement les cols bien que cela fût un travail délicat de les fixer correctement sur une chemise. Mme White les cousit à la machine. Ensuite, il fallut assembler les poignets aux manches et coudre un étroit ourlet au bas des chemises. Puis, après le délicat assemblage des plastrons, il fallut encore coudre solidement tous les petits boutons et faire les boutonnières.

Espacer régulièrement les boutonnières n'est pas chose facile, pas plus que de les ouvrir à la taille voulue. Le plus léger dérapage des ciseaux rend le trou trop grand alors qu'un fil de trop suffit à le rendre trop petit.

Quand Laura eut incisé les boutonnières, elle surjeta les bords rapidement avant de faire par-dessus une deuxième couture au point noué cette fois, régulière et à tout petits points serrés les uns contre les autres. Laura haïssait tellement les boutonnières qu'elle avait appris à les faire vite pour s'en débarrasser plus rapidement. Mme White remarqua sa dextérité.

— Tu peux me battre pour les boutonnières, dit-elle.

Quand ces quatre chemises furent terminées, il restait encore trois heures de travail pour ce jour-là. Laura s'occupa de la finition de nou-velles chemises pendant que Mme White en coupait d'autres.

Laura n'était jamais restée assise aussi long-temps. Elle avait mal au dos et à la nuque. Les piqûres d'aiguille avaient rendu ses doigts rêches, ses yeux la brûlaient et se voilaient. Deux fois, elle dut défaire un bâti pour le recoudre. Quand Papa entra, Laura laissa son travail et le suivit sans se faire prier.

Laura et Papa rentrèrent à la maison d'un bon pas. Le soleil se couchait.

— Que penses-tu de ta première journée de travail rémunéré, ma petite pinte de cidre doux? lui demanda Papa. Cela s'est bien passé?

— Oui, je crois, répondit simplement Laura. Mᵐᵉ White m'a fait compliment de mes boutonnières.

CHAPITRE 6

LE MOIS DES ROSES

Pendant tout ce délicieux mois de juin, Laura cousit des chemises. Les roses sauvages fleurissaient en longs cerceaux roses à travers les herbes de la Prairie, mais Laura ne les voyait que de très bonne heure le matin, quand elle se rendait en ville en compagnie de Papa, marchant bon train pour arriver à l'heure au travail.

Le tendre ciel matinal bleuissait et déjà, quelques traînées blanches de nuages d'été le parcouraient. Les roses parfumaient le vent et le long de la route, les nouvelles fleurs redressant leurs corolles comme de petits visages s'enorgueillissaient de leurs frais pétales.

Laura savait qu'à midi de gros nuages joufflus navigueraient dans le ciel. Leurs ombres passeraient au-dessus des roses délicates et des herbes doucement inclinées par le vent, mais à cette heure-là, Laura se trouverait dans la bruyante cuisine.

Le soir, quand Papa et Laura rentraient à la maison, les roses du matin étaient fanées et le vent éparpillait leurs pétales.

De toute façon, Laura était trop grande pour passer son temps à s'amuser et l'idée qu'elle gagnait déjà sa vie la stimulait. Chaque samedi soir, Mme White versait un dollar et demi à Laura qui les rapportait à la maison et les donnait à Maman.

— Je préférerais que tu ne me donnes pas la totalité de ton salaire, Laura, dit Maman une fois. Tu devrais en garder une partie pour toi.

— Pourquoi, Maman? demanda Laura. Je n'ai besoin de rien.

Ses chaussures tenaient bon; elle avait des bas et ses sous-vêtements et sa robe de calicot étaient presque neufs. Toutes les semaines, Laura se faisait une fête à la pensée de remettre à Maman l'argent qu'elle avait gagné. Souvent aussi, Laura espérait gagner davantage.

D'ici deux ans, Laura aurait seize ans et elle

pourrait enseigner. En étudiant avec assiduité, Laura obtiendrait un diplôme d'institutrice et, si elle trouvait un poste dans une école, son salaire constituerait une aide précieuse pour Papa et Maman. De plus, Laura pourrait commencer à leur rembourser tout ce qu'ils avaient déboursé pour elle depuis qu'elle était bébé. Ainsi, il n'y aurait plus d'obstacle au départ de Marie pour le collège.

Plusieurs fois, Laura faillit demander à Maman s'il n'y avait pas un moyen d'envoyer Marie au collège, dès à présent, en comptant sur son revenu futur d'institutrice pour qu'elle pût y rester. Mais de peur que Maman répliquât que cela était trop incertain, Laura n'osa jamais en parler.

Malgré tout, ce faible espoir soutint Laura et lui permit d'aller travailler le cœur moins lourd. Ce qu'elle gagnait n'était pas négligeable. Laura savait que Maman économisait le moindre sou et Marie irait au collège dès que Papa et Maman en auraient les moyens.

La ville détonnait au milieu de la Prairie sauvage et belle. De vieilles meules de foin et des tas de fumier pourrissaient au coin des étables. Le derrière des faux frontons des magasins étaient laids et sales. Même dans la Deuxième rue, l'herbe avait disparu et le vent soulevait des nuages de poussière entre les maisons. La ville sentait le renfermé, la saleté, la fumée et une odeur grasse de cuisine. Des effluves humides parvenaient des saloons et se mêlaient à l'âcre relent qui montait du sol près des portes de derrière où l'on jetait les eaux de vaisselle. Pourtant, au bout d'un moment, l'on oubliait ces odeurs et regarder passer les gens ne manquait pas d'un certain attrait.

Les garçons et les filles dont Laura avait fait la connaissance l'hiver dernier n'étaient plus là. Ils avaient quitté la ville pour aller vivre sur la concession de leurs parents. Les commerçants restaient en ville pour tenir leur boutique et menaient une vie de célibataire dans les pièces du fond, pendant que leur femme et leurs enfants passaient l'été dans la Prairie, sur les concessions. La loi promulguait en effet qu'un individu ne pouvait prétendre à la possession d'une concession si sa famille n'y vivait pas au moins six mois de l'année, et cela, cinq années de suite. Dans cet intervalle, il fallait labourer et cultiver cinq hectares avant que le gouvernement n'en concédât la propriété, mais personne ne pouvait vivre des seuls produits d'une terre nouvellement défrichée. Aussi les femmes et les filles passaient-elles tout l'été dans les maisons construites sur les concessions pour ne pas déroger à la loi, et les garçons labouraient la terre et semaient, pendant que leurs pères construisaient la ville et essayaient de gagner de l'argent pour acheter de la nourriture et des outils en provenance de l'Est.

Plus Laura observait la vie en ville et plus elle se rendait compte de la position privilégiée de sa famille, car Papa avait une année d'avance sur les autres. Papa avait défriché l'année dernière et à présent, ils pouvaient compter sur les produits de leur jardin, en plus de l'avoine et du maïs qui poussaient bien. Le foin nourrirait le bétail cet hiver, et Papa pourrait vendre du maïs et de l'avoine pour acheter du charbon. Tous les nouveaux pionniers en étaient au même point que Papa l'année précédente.

Quand Laura levait les yeux de son ouvrage, son regard englobait presque la ville entière car la plupart des habitations se trouvaient regroupées dans les deux pâtés de maisons situés de l'autre côté de la rue. Les faux frontons de leurs façades se dressaient à angle droit et à hauteurs différentes, cherchant à faire croire que derrière eux s'abritaient des maisons à deux étages.

L'hôtel Mead au bout de la rue, l'hôtel

Beardsley presque en face de Laura et le magasin de meubles Tinkham, quasiment au centre du pâté suivant, avaient réellement deux étages. Derrière les fenêtres de l'étage supérieur, des rideaux se gonflaient sous la brise, donnant ainsi la preuve de leur authenticité parmi l'alignement des faux frontons.

A part cela, les habitations se ressemblaient toutes. Leur charpente en pin commençait à se patiner sous l'action du temps. Chaque maison avait deux grandes fenêtres et une porte au milieu. Toutes les portes restaient grandes ouvertes pour laisser passer l'air chaud et une deuxième porte, constituée d'un simple châssis de bois encadrant une moustiquaire d'un rose passé, interdisait aux moustiques l'accès des maisons.

Devant, un trottoir en bois s'avançait sur la rue jusqu'aux poteaux d'attache. Il y avait toujours quelques chevaux attachés, ici et là, parfois même un attelage de chevaux ou de bœufs.

Une fois, alors que Laura était en train de couper un fil entre ses dents, elle vit un homme traverser le trottoir, détacher son cheval, sauter dessus et partir au triple galop. Parfois, Laura entendait un attelage approcher et quand les bruits devenaient plus précis, elle levait les yeux et le regardait passer.

Un jour, une explosion de cris confus la fit sursauter. Elle vit un homme de grande taille sortir en trombe du saloon Brown. L'écran de gaze se referma avec un bruit sec derrière lui.

L'homme fit demi-tour avec beaucoup de dignité. L'air hautain, il observa la moustiquaire rose puis souleva laborieusement sa longue jambe et, d'un mouvement vif et dédaigneux, enfonça son pied à travers, la déchirant du haut en bas. Un cri de protestation parvint du saloon.

Le grand escogriffe n'y prêta pas attention. Il tourna noblement les talons et se trouva face à face avec un petit homme rondouillard qui voulait entrer dans le saloon. Le grand voulut passer son chemin mais chacun d'eux se trouvait sur le passage de l'autre.

Conscient de l'avantage de sa haute taille, le premier se redressait d'un air plein de fierté et de gravité. Le petit gros bombait le torse, sûr de son bon droit.

Sur le seuil de la porte, le tenancier du saloon se lamentait sur la moustiquaire déchirée et hors d'usage. Les deux hommes, qui se faisaient face, l'ignoraient totalement, tout occupés à se défier du regard, se drapant de plus en plus dans leur dignité respective.

Soudain, le grand découvrit une issue au problème. Il saisit le bras dodu du petit gros et ils descendirent le trottoir en chantant :

> « *Rame vers le rivage, marin!*
> *Rame vers le rivage,*
> *Peu importe la violence des vents!* »

Arrivés à la hauteur du magasin de Harthorn, le grand leva solennellement sa longue jambe et enfonça son pied dans la moustiquaire. Un cri outré jaillit du fond du magasin.

— Hé, vous, qu'est-ce...

Les deux hommes insouciants continuaient leur chemin en chantant :

> « *Laissons-les mugir!*
> *Rame vers le rivage, marin!* »

Leur attitude était aussi digne que possible. Avec ses longues jambes, le grand faisait de longues enjambées. Le petit homme, malgré ses jambes courtaudes, s'efforçait de régler ses pas sur ceux de son compagnon, sans se départir de son air de noblesse.

> « *Peu importe la violence des vents...* »

Le grand enfonça gravement son pied dans la moustiquaire de l'hôtel Beardsley. M. Beardsley sortit dehors, bouillonnant de rage. Les deux hommes, bras dessus bras dessous, poursuivirent leur route.

Laura riait tellement qu'elle en pleurait. Elle vit la longue jambe déchirer dans un mouvement solennel la moustiquaire de l'épicerie Barker. M. Barker bondit dehors avec force protestations. Mais les longues jambes avançant à grands pas et les jambes courtaudes à la traîne passèrent noblement leur chemin.

« *Rame vers le rivage...* »

Le pied du grand défonça la moustiquaire du magasin d'alimentation des Wilder. Royal Wilder ouvrit d'un coup sec l'écran déchiré et dit tout net ce qu'il pensait.

Les deux hommes écoutèrent d'un air grave jusqu'au moment où Royal dut s'arrêter pour reprendre son souffle. Alors le petit gros s'avança en vacillant et avec un air respectable se présenta :

— Je m'appelle Tay Pay Pryor. Je suis saoul!

Les deux hommes reprirent leur chemin bras dessus bras dessous.

— Je m'appelle Tay Pay Pryor, entonna le petit homme boulot. Puis ensemble, ils chantonnèrent, coassant comme des grenouilles :

— Je suis saoul!

Le grand ne chantait pas avec l'autre : « Je

74

m'appelle Tay Pay Pryor », mais ils reprenaient comme un seul homme : « Je suis saoul! »

Ils firent volte-face et se dirigèrent à pas cadencés vers l'autre saloon. La porte écran se referma bruyamment derrière eux. Laura retint son souffle mais la moustiquaire resta entière.

Laura se tenait les côtes de rire et elle ne put pas reprendre son sérieux quand Mme White déclara d'un ton cassant que cela était une honte ce que l'alcool pouvait faire des hommes.

— Pense au prix de toutes ces moustiquaires, dit Mme White. Ta réaction m'étonne. Vraiment, aujourd'hui, les jeunes n'ont plus le sens commun.

Ce soir-là, Laura essaya de décrire l'équipée des deux compères afin que Marie pût se les imaginer, mais personne ne rit.

— Mon Dieu, Laura! Comment des hommes ivres peuvent-ils te faire rire? voulut savoir Maman.

— Je pense que c'est une chose effroyable, ajouta Marie.

— Le grand, c'est Bill O'Dowd, dit Papa. Je tiens pour certain que son frère l'a amené sur la concession qu'il possède dans le coin pour l'empêcher de boire. Deux saloons dans cette ville, cela fait deux saloons de trop.

— Quel dommage que les hommes ne soient pas plus nombreux à penser comme toi! dit

Maman. Je commence à croire que si l'on ne met pas un frein à la consommation d'alcool dans ce pays, les femmes devront entreprendre une action pour donner leur avis.

Papa lui lança un clin d'œil.

— J'ai l'impression que tu as beaucoup de choses à dire à ce sujet, Caroline. Maman ne m'a laissé aucun doute sur les ravages de l'alcool ni toi non plus.

— Elle avait raison, déclara Maman. C'est un scandale que de telles choses puissent se passer sous les yeux de Laura.

Papa regarda Laura. Ses yeux pétillaient. Laura savait qu'il ne lui tenait pas rigueur d'avoir ri.

CHAPITRE 7

NEUF DOLLARS

M. Clancy recevait moins de commandes de chemises car la plupart des hommes susceptibles de lui en acheter l'avaient déjà fait. Un samedi soir, Mme White dit à Laura :

— On dirait que les affaires se ralentissent.

— Oui, Madame, acquiesça Laura.

Mme White compta un dollar cinquante *cents* qu'elle lui tendit en ajoutant :

— Je n'aurai plus besoin de toi, maintenant. Ce n'est pas la peine de venir lundi prochain. Au revoir.

— Au revoir, Madame, dit Laura.

Laura avait travaillé six semaines et gagné neuf dollars. Rien que quelques semaines auparavant, un dollar lui paraissait une grosse somme, mais à présent, ses neuf dollars lui semblaient insuffisants. Si elle avait pu travailler encore une semaine, cela lui aurait fait dix dollars et demi et deux semaines supplémentaires de travail, douze dollars!

Laura devinait qu'elle retrouverait avec joie le rythme régulier de la vie à la maison : les travaux ménagers, les soins à donner aux bêtes, l'entretien du jardin, les promenades avec Marie d'où elles rapportaient des bouquets de fleurs sauvages, et la veillée, le soir, en attendant le retour de Papa à la maison. Mais sans savoir pourquoi, Laura se sentit brutalement découragée et le cœur lourd.

Lentement, elle remonta le chemin parallèle à la Grand'rue. Papa travaillait à présent à la construction d'une maison au coin de la Deuxième rue. Il attendait Laura auprès d'un tas de bardeaux.

— Regarde ce que je rapporte à la maison, pour ta Maman! s'écria-t-il en l'apercevant.

A l'ombre des bardeaux, un sac de grains vide recouvrait un grand panier. On entendait à l'intérieur des piaillements et le crissement de petites pattes.

— Les poussins! s'exclama Laura.

— Boast me les a apportés aujourd'hui, raconta Papa. Il y en a quatorze, aussi vigoureux les uns que les autres.

Le visage de Papa s'éclairait déjà à la pensée de la joyeuse surprise que Maman allait avoir.

— Le panier n'est pas lourd, dit Papa à Laura. Nous pouvons tenir une poignée chacun. Nous porterons le panier entre nous en essayant d'éviter les secousses.

Avec d'infinies précautions, ils descendirent la Grand'rue et s'engagèrent sur la route qui conduisait à la maison. Le ciel s'enflammait des couleurs pourpres et or du couchant. Une lumière dorée colorait le soir et, à l'est, le lac d'Argent flamboyait comme un brasier géant. Un piaillement inquiet et curieux montait du panier.

— Papa, Mme White n'a plus besoin de moi, dit Laura.

— Ah oui... On dirait que les affaires se ralentissent un peu partout, répliqua Papa.

Laura n'avait pas songé un instant que Papa pût se retrouver sans travail.

— Oh, est-ce qu'ils n'ont plus besoin de charpentier non plus, Papa? lui demanda Laura.

— Il fallait s'y attendre, répondit Papa. Je n'espérais pas avoir du travail tout l'été. De toute façon, je vais bientôt commencer les foins.

Au bout d'un moment, Laura ajouta, songeuse :

— Je n'ai gagné que neuf dollars, Papa.

— Il ne faut pas dédaigner neuf dollars. En plus tu as fait du bon travail et donné entière satisfaction à Mme White, n'est-ce pas?

— Oui, répondit Laura honnêtement.

— Eh bien, tu n'as pas perdu ton temps, assura Papa.

Ces paroles réconfortèrent Laura qui se sentit rassérénée. De surcroît, ils apportaient les poussins à Maman.

Maman rayonna de joie quand elle les vit. Carrie et Grace s'accroupirent près du panier pour les observer et Laura les décrivit à Marie. C'étaient des poussins en pleine santé et très vifs aux brillants yeux noirs et aux pattes d'un jaune clair. Ils perdaient déjà leur duvet qui laissait des plaques nues sur leur cou. Les plumes commençaient à pousser sur leurs ailes et sur leur queue. Il y en avait de toutes les couleurs habituelles aux poulets et certains étaient tachetés.

Maman les souleva délicatement un par un et les mit dans son tablier.

— Je ne crois pas que ces petits poulets proviennent d'une seule couvée, dit Maman. Je crois qu'il n'y a pas plus de deux jeunes coqs parmi eux.

— Les Boast ont une basse-cour déjà florissante et ils auront certainement des œufs à manger cet été, dit Papa. Mme Boast a peut-être enlevé quelques jeunes coqs en vue de les faire cuire.

— Oui, et elle les a remplacés par des poulettes qui deviendront des pondeuses, poursuivit Maman. Cela ne m'étonnerait pas de Mme Boast. C'est la femme la plus généreuse que je connaisse.

Maman transporta les poussins dans son tablier jusqu'à la cage à poules que Papa avait fabriquée et dans laquelle elle les déposa l'un après l'autre. Le devant en lattes laissait passer

l'air et le soleil et un loquet en bois bloquait la petite porte. La cage n'avait pas de fond. Elle était posée à même l'herbe propre que les poussins pourraient picorer et quand l'herbe serait couchée et sale, on l'installerait un peu plus loin.

Maman mélangea du son mouillé bien poivré dans une vieille terrine et la déposa dans la cage. Les poussins se précipitèrent autour, avalant leur pâtée si goulûment et si avidement qu'ils picoraient parfois leurs propres pattes dans leur précipitation. Une fois repus, ils se perchèrent sur le rebord de la cuvette remplie d'eau et burent à petites gorgées, plongeant d'abord leur bec dans l'eau puis étirant leur cou en penchant leur tête vers l'arrière pour avaler.

Maman chargea Carrie de les nourrir plusieurs fois par jour et de veiller à garder l'eau de leur cuvette propre et fraîche. Demain, Maman laisserait les poussins sortir et Grace devrait faire attention aux faucons.

Ce soir-là, après le dîner, Maman envoya Laura s'assurer que les poussins dormaient bien en sécurité dans leur cage. Toutes les étoiles brillaient au-dessus de la Prairie sombre et un quartier de lune pendait dans le ciel, bas à l'ouest. Les herbes reposaient doucement dans la paix de la nuit.

Laura passa délicatement la main sur la volée

des poussins endormis, chaudement serrés les uns contre les autres dans un coin de la cage. Puis elle contempla un moment cette belle nuit d'été. Elle n'aurait pas su dire combien de temps elle resta là, immobile, jusqu'à ce que Maman sortît de la maison à sa rencontre.

— Ah, te voilà, Laura, dit Maman.

Comme Laura l'avait fait un peu plus tôt, Maman s'agenouilla et, passant la main à travers la porte de la cage, caressa la masse soyeuse des poussins pelotonnés. Ensuite, elle se releva et se mit à contempler la nuit.

— Cela commence à prendre l'allure d'une ferme, dit-elle.

Le champ d'avoine et le champ de maïs dessinaient des taches pâles dans la nuit obscure et le jardin se bosselait sous l'enchevêtrement des feuilles sombres. Parmi elles, les plants de concombre et les citrouilles luisaient d'un faible éclat lunaire. On apercevait à peine la longue et basse étable en mottes de terre mais une lumière accueillante éclairait la fenêtre de la maison.

Soudain, sans réfléchir, Laura s'exclama :

— Oh, Maman, je souhaiterais tant que Marie pût aller au collège cet automne.

— Peut-être, peut-être... Ton Papa et moi en avons déjà discuté.

A cette réponse inattendue, Laura resta muette un instant. Puis elle demanda :

— Est-ce que... Est-ce que tu en as déjà parlé à Marie?

— Non, pas encore, répondit Maman. Nous ne devons pas lui donner un espoir que nous décevrions ensuite, mais avec l'argent que ton père a gagné en plus de la récolte d'avoine et de maïs, et si tout se passe bien, nous pensons que Marie pourra aller au collège, à l'automne. Nous tâcherons de nous débrouiller afin qu'elle puisse rester au collège les sept années nécessaires pour recevoir un enseignement manuel et terminer ses études secondaires.

Alors pour la première fois, Laura réalisa que le jour où Marie partirait au collège, elle quitterait la maison pour très longtemps. Marie s'en irait. Marie ne serait plus là pendant la journée. Laura ne pouvait pas concevoir la vie sans Marie.

— Oh, j'aimerais... commença Laura sans terminer sa phrase.

Laura avait tellement espéré que Marie pût aller au collège.

— Oui, elle nous manquera terriblement, dit Maman en devinant la pensée de Laura. Mais nous devons penser avant tout à la chance que cela représente pour elle.

— Je sais, Maman, dit Laura tristement.

La nuit parut immense et vide à Laura. La lampe répandait toujours sa clarté chaleureuse mais l'absence de Marie ôterait à la maison un peu de son âme.

Alors, Maman ajouta :

— Les neuf dollars que tu as gagnés nous seront très utiles, Laura. J'ai fait des calculs et je suis sûre qu'avec cette somme je pourrai acheter le meilleur tissu pour confectionner une très belle robe à Marie. Il restera même peut-être de quoi acheter du velours pour lui faire un chapeau.

CHAPITRE 8

LE 4 JUILLET

— BOUM !

Laura se réveilla en sursaut. Il faisait nuit noire et la chambre baignait dans l'obscurité.

— Que se passe-t-il? chuchota Carrie, apeurée.

— N'aie pas peur! lui répondit Laura.

Elles prêtèrent l'oreille. Le carré de la fenêtre était à peine plus clair que les ténèbres environnantes, mais Laura devina l'approche de l'aube.

— BOUM !

Laura sentit la terre trembler autour d'elle.

— Ce sont les canons ! s'exclama Papa d'une voix assoupie.

— Papa, Maman, qu'est-ce que c'est ? demanda Grace.

— Ils tirent sur quoi ? ajouta Carrie.

— Quelle heure est-il ? dit Maman.

A travers la cloison, elles entendirent Papa répondre :

— C'est le 4 juillet, aujourd'hui, Carrie.

— BOUM !

L'air trembla à nouveau.

Ce n'était pas vraiment les canons que l'on entendait mais de la poudre à canon qui explosait sous l'enclume du maréchal-ferrant, en ville. Le bruit des détonations rappelait le vacarme des grandes batailles menées par les Américains pour conquérir leur indépendance. Le 4 juillet 1776, les Américains déclarèrent que tous les hommes étaient libres et égaux.

— BOUM !

— Venez, les filles, nous ferions aussi bien de nous lever ! dit Maman.

Papa se mit à chanter :

— « Oh, dites, voyez-vous, dans les lueurs de l'aube naissante... »

— Charles ! protesta Maman, mais elle riait car il faisait vraiment trop sombre pour distinguer quoi que ce fût.

— C'est un jour de fête qui se lève ! s'écria

Papa en sautant à bas de son lit. Et il chanta :

— « *Hourra! Hourra! Célébrons la Victoire!*
Hourra! Hourra! Vive le drapeau des hommes
libres! »

Même le soleil, paré de tout son éclat et pointant au-dessus de l'horizon dans un ciel pur, semblait savoir que cette journée commémorait le fameux jour de la Déclaration d'indépendance.

— Ce serait le jour idéal pour faire un pique-nique, dit Maman au petit déjeuner.

— La ville en organisera peut-être un l'année prochaine, dit Papa.

— De toute façon, nous aurions à peine de quoi en improviser un, cette fois, reconnut Maman. Un pique-nique sans poulet rôti ne rime à rien.

Après un début si prometteur, la journée s'annonçait sans surprise. Il était décevant que ce jour en lui-même déjà exceptionnel ne coïncidât pas avec un événement sortant de l'ordinaire.

— J'aimerais bien, bien m'habiller, confia Carrie à Laura pendant qu'elles lavaient la vaisselle.

— Moi aussi, mais nous n'avons pas de vêtements qui s'y prêtent, répliqua Laura.

Quand Laura sortit dehors pour jeter l'eau de vaisselle, loin de la maison, elle aperçut Papa qui examinait le champ d'avoine dont les hautes tiges d'un gris-vert ondulaient doucement sous le vent. Le maïs avait bonne apparence également. Ses longues feuilles vertes et jaunes volaient comme des rubans et dissimulaient presque les sillons. Dans le jardin, les plants de concombre s'étendaient et leurs petites vrilles se déroulaient derrière de larges feuilles. Les plants de pois et de haricots montaient en spirale. Les feuilles dentelées des carottes étaient d'un vert tendre et les betteraves exhibaient leurs longues et sombres feuilles accrochées aux tiges rouges. Les poules s'éparpillaient parmi les herbes sauvages à la recherche d'insectes.

Le bien-être et la satisfaction profonde que procurait la bonne marche de la ferme étaient amplement suffisants pour un jour ordinaire mais restaient en deçà de ce qu'on aurait attendu d'un 4 juillet.

Papa sentait la même chose. Il n'avait rien à faire car le 4 juillet, à part les soins à donner aux bêtes et le ménage, on ne travaillait pas. Papa rentra à la maison et dit à Maman :

— Il y a une fête en ville, aujourd'hui. Aimerais-tu y aller?

— Qu'y a-t-il de prévu? demanda Maman.

— Une course de chevaux et une dégustation gratuite de citronnade, répondit Papa.

— Une course de chevaux n'est pas un spectacle pour une femme, dit Maman. Et je ne peux pas faire de visite impromptue un 4 juillet.

Laura et Carrie ne tenaient plus en place pendant que Maman réfléchissait à ce qu'elle allait décider. Finalement, elle secoua la tête et dit :

— Non, vas-y seul, Charles. De toute façon, nous ne pourrions pas emmener Grace, elle est trop petite.

— Et puis, on est bien mieux à la maison, ajouta Marie.

Alors, Laura prit la parole :

— Oh, Papa, est-ce que Carrie et moi ne pouvons pas t'accompagner ?

Laura et Carrie purent lire dans le regard d'abord hésitant de Papa, qu'il acceptait, quand ses yeux se mirent à pétiller. Maman donna son approbation par un sourire.

— Oui, Charles, cela vous fera une charmante sortie. Cours au cellier et rapporte le beurre, Carrie. Pendant que vous vous habillerez, je préparerai quelques tartines de pain beurré.

Cette journée prit soudain l'allure d'une vraie fête comme il convenait pour un 4 juillet. Maman fit des sandwiches, Papa cira ses bottes, Laura et Carrie changèrent rapidement de vêtements. Par chance, la robe à fleurs de Laura se trouvait lavée et repassée de frais. Laura et Carrie se succédèrent devant la cuvette pour laver leur visage, leur cou et leurs oreilles. Pardessus leurs sous-vêtements de mousseline écrue, elles passèrent leurs jupons empesés de mousseline blanchie. Elles brossèrent et nattèrent leurs cheveux. Laura remonta ses lourdes nattes au-dessus de sa tête et les fixa avec des épingles à cheveux. Après avoir attaché les rubans du dimanche au bout des nattes de Carrie, elle enfila sa robe de calicot fleuri et en boutonna le dos. Le bas de sa jupe arrivait en haut de ses bottines.

— Tu veux bien m'aider à boutonner ma robe? demanda Carrie.

Carrie n'arrivait pas à atteindre deux boutons placés dans le milieu de son dos et elle avait boutonné tous les autres dans le mauvais sens.

— Tu ne peux pas sortir ainsi le jour du 4 juillet, dit Laura.

Et, après avoir déboutonné toute la rangée de boutons, elle les reboutonna dans le bon sens, cette fois.

— Quand ils sont boutonnés correctement, mes cheveux se prennent dedans, expliqua Carrie.

— Je sais, dit Laura. Cela me le faisait aussi. Tu n'as qu'à attendre patiemment le jour où tu seras assez grande pour relever tes nattes au-dessus de ta tête.

Laura et Carrie mirent leur capeline. Papa les attendait, tenant à la main les sandwiches emballés dans un papier marron. Maman les observa attentivement et déclara :

— Vous êtes superbes!

— Quel honneur pour moi d'accompagner deux aussi ravissantes demoiselles! dit Papa.

— Toi aussi, tu es beau, Papa, lui assura Laura.

Ses bottes cirés brillaient, sa barbe était bien taillée et il portait son costume du dimanche et son chapeau de feutre à large bord.

— Je veux y aller aussi! pleurnicha Grace.

Et, elle s'entêta même après que Maman lui eut dit :

— Non, Grace.

Grace était la dernière et pour cette raison, on l'avait beaucoup gâtée. Mais, il fallait réprimander sa désobéissance. D'un air sévère, Papa l'assit sur une chaise et lui dit en faisant de gros yeux :

— Tu dois écouter ta Maman.

Puis, ils sortirent tous les trois en silence, peinés du chagrin de Grace. Pourtant, il fallait bien qu'elle apprît à obéir. S'il y avait une grande fête en ville, l'année prochaine, ils pourraient s'y rendre tous ensemble dans le chariot. Aujourd'hui, ils allaient faire le chemin à pied pour laisser les chevaux se reposer et brouter, comme bon leur semblait, l'herbe autour de leur piquet d'attache. Les chevaux se fatiguaient à rester une journée durant attachés aux poteaux, dans la poussière et en plein soleil. Grace était trop petite pour effectuer le trajet de quelque deux kilomètres jusqu'à la ville et elle pesait trop lourd pour qu'on la portât.

Avant même qu'ils eussent atteint la ville, ils entendirent un bruit semblable au crépitement des grains de maïs qui éclatent. Carrie demanda à Papa ce que c'était et il répondit :

— Ce sont des pétards.

Des chevaux étaient attachés sur toute la longueur de la Grand'rue. Des hommes et des garçons se pressaient sur le trottoir en groupes si compacts qu'à certains endroits, on arrivait à peine à se faufiler parmi la cohue. Les garçons jetaient des pétards enflammés dans la rue poussiéreuse où ils flambaient en grésillant avant d'exploser. Chaque explosion faisait sursauter.

— Je ne savais pas que ce serait ainsi, murmura Carrie.

Cela ne plaisait pas non plus à Laura. C'était la première fois qu'elles se trouvaient au milieu d'une telle bousculade. Il n'y avait rien d'autre à faire sinon monter et descendre la rue dans le flot de gens inconnus et cela les rendait mal à l'aise.

Ils longèrent deux fois les deux pâtés de maisons, puis Laura demanda à Papa si Carrie et elle ne pourraient pas rester à l'attendre dans sa maison. Papa jugea l'idée excellente.

Elles observeraient le va-et-vient de la foule pendant qu'il se promènerait un peu, après quoi, ils se retrouveraient pour manger les tartines préparées par Maman et iraient voir les courses. Papa les conduisit dans la bâtisse vide et Laura referma la porte.

Quel plaisir de prendre possession un moment de cette maison déserte et sonore! Carrie et Laura allèrent jeter un coup d'œil dans la petite cuisine où ils s'étaient calfeutrés pendant les longs mois d'hiver. Elles montèrent ensuite l'escalier sur la pointe des pieds pour visiter les chambres nues, logées sous les combles. Le soleil tapait sur le toit et rendait la chaleur particulièrement étouffante. Elles se mirent à la fenêtre qui donnait sur le rue et regardèrent les gens passer et les pétards brûler et éclater dans la poussière.

— J'aimerais bien avoir des pétards, dit Carrie.

— Ce ne sont pas des pétards mais des coups de fusil, imagina Laura. Nous nous retranchons dans le fort de Ticonderoga pour échapper aux

Anglais et aux Indiens. Nous sommes Américains et nous luttons pour notre indépendance.

— C'étaient des Anglais qui étaient retranchés dans le fort de Ticonderoga [1] et les soldats des Green Mountains [2] l'ont pris, objecta Carrie.

— Bon, alors imaginons que nous nous trouvons avec Daniel Boone dans le Kentucky, derrière une palissade en rondins, dit Laura. Malheureusement, les Anglais et les Indiens l'ont capturé, dut-elle admettre.

— Combien coûte un pétard? demanda Carrie.

— Même si Papa avait les moyens d'en acheter, ce serait de la folie de dépenser de l'argent pour le seul plaisir de faire un peu de bruit, répondit Laura. Regarde ce petit poney bai. Jouons à repérer les plus beaux chevaux. Tu peux commencer la première.

Il y avait tant de choses à voir que la matinée s'écoula rapidement et quand elles entendirent les bottes de Papa résonner au rez-de-chaussée, elles eurent peine à croire qu'il était déjà midi. Elles n'avaient pas vu le temps passer.

1. N.d.T. Fort situé au nord-est de l'Etat de New York. Pris aux Anglais par les soldats des Green Mountains.
2. N.d.T. Green Mountains : chaîne des Appalaches dans l'Etat du Vermont. Les soldats des Green Mountains désignent les soldats du Vermont conduits par Ethan Allen durant la lutte pour l'indépendance.

— Oh, oh, les filles! Où êtes-vous?

Laura et Carrie descendirent l'escalier quatre à quatre. Papa avait passé un bon moment. Ses yeux clairs brillaient. Il s'écria :

— Nous allons faire un véritable festin! J'ai rapporté du hareng fumé pour manger avec nos tartines de pain beurré. J'ai aussi une surprise, regardez!

Papa leur montra un paquet de pétards.

— Oh, Papa! s'écria Carrie. Combien les as-tu payés?

— Ils ne m'ont pas coûté un sou, dit Papa. C'est M. Barnes, l'homme de loi, qui me les a remis pour vous.

— Mais, pourquoi? demanda Laura.

Laura n'avait jamais entendu parler de M. Barnes, auparavant.

— Oh, pour des raisons politiques, j'imagine, répondit Papa. Il se montre affable et attentionné avec tout le monde. Vous voulez que je vous montre dès maintenant comment on allume les pétards ou vous préférez attendre que nous ayons fini de déjeuner?

Laura et Carrie comprirent qu'elles avaient la même idée en tête quand leurs regards se croisèrent.

— Gardons-les, Papa, dit Carrie. Nous les rapporterons à la maison pour amuser Grace.

— Très bien, dit Papa.

Il rangea les pétards dans sa poche et déballa
le hareng fumé tandis que Laura ouvrait le
paquet de tartines. Le hareng était délicieux. Ils
en gardèrent un peu pour permettre à Maman et

à Marie d'y goûter. Quand ils eurent avalé la dernière bouchée de pain beurré, ils sortirent dehors et puisèrent de l'eau au puits afin d'étancher leur soif. Chacun leur tour, ils burent à longues gorgées l'eau fraîche, à même le seau que Papa avait remonté. Puis, ils se lavèrent les mains ainsi que leur visage brûlant et les essuyèrent avec le mouchoir de Papa.

Les courses de chevaux allaient commencer. Toute la foule se dirigeait vers un endroit dans la prairie, de l'autre côté de la voie de chemin de fer. Le drapeau américain hissé en haut d'un mât flottait au vent. Le soleil était chaud mais un vent frais soufflait.

A côté du mât, un homme debout sur un support quelconque dépassait le foule de toute sa hauteur. Le murmure qui parcourait la foule cessa et on put l'entendre.

— Vous savez, les gars, dit-il, je ne suis pas très fort pour parler en public. Mais, aujour-

98

d'hui, c'est la fête du 4 juillet. Le 4 juillet 1776, nos ancêtres se sont libérés des griffes des despotes d'Europe. A cette époque, il n'y avait pas beaucoup d'Américains, mais ils ne pouvaient pas souffrir la tyrannie d'un monarque. Ils se devaient de combattre les soldats anglais, leurs mercenaires venus de l'étranger [1] et les Peaux-Rouges que ces beaux aristocrates galonnés d'or avaient déchaînés sur nos villages et payés pour scalper, assassiner et brûler nos femmes et nos enfants. Une poignée d'Américains démunis devaient les affronter, les combattre et les écraser et ils les ont battus et ils les ont écrasés. Oui, Messieurs, nous avons écrasé les Anglais en 1776 et une nouvelle fois en 1812 et nous avons chassé les monarchies d'Europe du Mexique et loin de ce continent, il y a moins de vingt ans de cela, pour la gloire de Dieu! Oui, Messieurs, par la bannière étoilée qui flotte au-dessus de ma tête, à chaque fois que les despotes d'Europe essaieront de mettre le bout du pied en Amérique, nous les chasserons encore!

— Hourra, Hourra! cria la foule d'un même cœur.

Papa, Laura et Carrie crièrent aussi :

1. N.d.T. Pendant la période révolutionnaire ou lutte pour l'indépendance, les Anglais recrutèrent un grand nombre de mercenaires parmi les habitants de la Hesse.

— Hourra! Hourra!

— Aujourd'hui, nous voici tous rassemblés, poursuivit l'homme. Chacun d'entre nous est un citoyen libre et indépendant du pays de Dieu, le seul pays au monde où les hommes soient libres et indépendants. Cette journée du 4 juillet, jour anniversaire du début de notre combat, mérite-rait une fête plus somptueuse et plus grandiose que celle prévue aujourd'hui. Malheureusement, nous ne pouvons pas organiser grand-chose, cette année. La plupart d'entre nous ont du mal à joindre les deux bouts. Mais l'année pro-chaine, cela ira sans doute un peu mieux et on sera en mesure de fêter comme il se doit la fête d'anniversaire du jour de la déclaration d'Indé-pendance. Mais, pour en revenir à aujourd'hui, le 4 juillet, et en honneur à ce jour, quelqu'un va lire le texte de la Déclaration d'indépendance. Eh bien, on dirait que c'est moi. Bon, alors, enlevez vos chapeaux, les gars, je vais commen-cer.

Laura et Carrie connaissaient le texte par cœur, bien sûr, mais en l'entendant, une émotion grave les saisit. Elles se donnèrent la main et écoutèrent, recueillies au milieu de la foule silencieuse et attentive. La bannière étoilée flottait au vent, se découpant sur le bleu du ciel au-dessus d'elles et les mots résonnaient d'abord dans leur cœur avant qu'elles ne les entendissent prononcés à voix haute par l'orateur improvisé.

« Lorsque, dans le cours des événements humains, un peuple se voit dans la nécessité de rompre les liens politiques qui l'unissent à un autre, et de prendre parmi les puissances de la terre le rang égal et distinct auquel les lois de la nature et du Dieu de la nature lui donnent droit, un juste respect de l'opinion des hommes exige qu'il déclare les causes qui l'ont poussé à cette séparation.

« Nous tenons ces vérités pour évidentes par elles-mêmes, que tous les hommes naissent égaux, que leur Créateur les a dotés de certains droits inaliénables, parmi lesquels la vie, la liberté et la recherche du bonheur... »

Puis suivait la longue liste des terribles crimes du roi :

« Il a résolument empêché l'accroissement de la population de nos Etats.

« Il a entravé l'administration de la justice.

« Il a soumis les juges à sa seule volonté.

« Il a créé une multitude d'emplois nouveaux et envoyé sur notre sol des hordes d'officiers qui harcèlent notre peuple et dévorent ses biens.

« Il a pillé nos mers, dévasté nos côtes, brûlé nos villes et anéanti la vie de notre peuple...

« Il amène présentement des armées importantes de mercenaires étrangers pour achever son œuvre de mort, de désolation et de tyrannie, qui a débuté dans des circonstances de cruauté et de perfidie à peine égalées aux âges barbares, et totalement indignes du chef d'un Etat civilisé.

« En conséquence, Nous, représentants des Etats-Unis d'Amérique, réunis en Congrès plénier, prenant le Juge suprême du monde à témoin de la droiture de nos intentions, au nom et par la délégation du bon peuple de ces Colonies, affirmons et déclarons solennellement :

« Que ces Colonies unies sont et doivent être en droit des Etats libres et indépendants; qu'elles sont relevées de toute fidélité à l'égard de la Couronne britannique, et que tout lien entre elles et l'Etat de Grande-Bretagne est et doit être entièrement dissous; et qu'elles ont, en tant qu'Etats libres et indépendants, plein pouvoir de faire la guerre...

« Et, pour appuyer cette Déclaration, mettant notre pleine confiance dans la protection de la divine Providence, nous donnons en gage, les uns et les autres, nos vies, nos fortunes et notre honneur sacré. »

Personne n'applaudit. Il n'aurait pas été déplacé de dire : « Amen! », comme à la fin d'une prière, mais personne ne savait trop quoi faire.

Alors, Papa se mit à chanter et presque aussitôt la foule entonna avec lui :

« *Mon pays bien-aimé,*
Tendre terre de liberté,
Je chante...

Que notre terre reste claire
Et libre sous la lumière.
Conduis-nous sur la voie,
Seigneur Dieu, notre Roi! »

Puis la foule se dispersa, mais Laura, clouée sur place, ne bougeait toujours pas. Elle venait de comprendre quelque chose. Le texte de la Déclaration d'indépendance et la chanson qu'elle venait de chanter à l'unisson avec la foule se gravaient dans sa mémoire. « Dieu est le roi de l'Amérique », pensa-t-elle.

Laura avait fait le raisonnement suivant : les Américains n'ont voulu se soumettre à aucun monarque d'ici-bas. Les Américains sont des hommes libres. Cela signifie qu'ils agissent selon leur conscience. Aucun roi n'obligeait Papa à travailler, il travaillait de lui-même. C'est pourquoi (conclut-elle), quand je serai un peu plus grande, Papa et Maman cesseront de me dire ce que je dois faire et plus personne n'aura le droit de me commander. Je ne devrai compter que sur moi pour suivre une conduite juste.

Soudain, tout lui sembla clair. Laura venait de comprendre la signification du mot libre. Cela voulait dire qu'il fallait avant tout être bon.

« Dieu, notre Père, qui donnez la liberté... ». Les lois de la nature et du Dieu de la nature nous octroient le droit de vivre et d'être libres. Alors, il faut suivre la loi de Dieu car la loi de Dieu est la seule chose qui donne droit à la liberté.

Laura n'avait pas le temps de réfléchir plus longtemps. Déjà Carrie se demandait pourquoi elle restait ainsi, immobile, et Papa disait :

— Par ici, les filles! On peut boire de la citronnade, gratuitement.

Les tonneaux reposaient sur l'herbe, près du mât. Quelques personnes faisaient la queue, attendant leur tour de se désaltérer à même la louche en fer-blanc. Ceux qui avaient fini de boire se dirigeaient vers les chevaux et les bogheis, rassemblés près de la piste.

Laura et Carrie, hésitantes, restaient à l'écart, mais l'homme qui tenait la louche les aperçut et il la tendit à papa. Ce dernier plongea la louche dans le tonneau et la passa à Carrie. Le tonneau était presque plein et de nombreuses tranches de citron flottaient sur le dessus de la citronnade.

— Elle doit être bonne car apparemment ils ont mis beaucoup de citron dedans, dit Papa, pendant que Carrie buvait à petites gorgées.

Ses yeux s'arrondirent de plaisir; c'était la première fois de sa vie qu'elle goûtait à la citronnade.

— Ils viennent juste de la faire, précisa l'un de ceux qui attendaient leur tour dans la queue. L'eau vient du puits de l'hôtel. Elle est très fraîche.

Un autre ajouta :

— Une bonne citronnade dépend de la quantité de sucre que l'on y met.

Papa remplit une nouvelle fois la louche pour Laura. Celle-ci avait déjà goûté à la citronnade quand elle était une petite fille, dans le Minnesota, à l'occasion du goûter donné par Nelly Oleson. Laura but jusqu'à la dernière goutte la délicieuse boisson et remercia Papa. En redemander n'aurait pas été poli.

Quand Papa se fut désaltéré à son tour, ils traversèrent l'herbe piétinée afin de rejoindre la foule regroupée près de l'endroit où allaient se dérouler les courses. On avait labouré une piste de forme oblongue. Avec son coutre, la charrue avait laissé la terre brune, nue et lisse. A l'intérieur et à l'extérieur de l'anneau, le tapis d'herbe ployait doucement sous le vent à l'exception des endroits piétinés par les hommes et les bogheis.

— Tiens, salut, Boast! cria Papa.

M. Boast fendit la foule dans leur direction. Il venait d'arriver en ville, juste à temps pour assister aux courses. Comme Maman, Mme Boast avait préféré rester chez elle.

Quatre poneys firent leur entrée sur la piste : deux poneys bais, un gris et un noir. Les cavaliers alignèrent leur monture.

— Sur lequel parieriez-vous, si vous jouiez aux courses? demanda M. Boast.

— Oh, sur le noir! s'écria Laura.

La robe du poney noir brillait sous le soleil. La brise fouettait doucement sa longue queue et jouait dans sa crinière soyeuse. Il secouait sa tête fine et piaffait avec beaucoup d'élégance.

Au signal : « Partez! », tous les poneys s'élancèrent. Des cris s'élevèrent de la foule. Ventre à terre, le poney noir doubla les autres. Un nuage de poussière, soulevé par le piétinement des sabots, les rendit bientôt invisibles. Puis, après le tournant, ils entamèrent la ligne droite située de l'autre côté de la piste en galopant à bride abattue. Le poney gris remonta à la hauteur du noir. Ils coururent côte à côte jusqu'au moment où le gris devança légèrement le noir. La foule se remit à crier. Laura espérait encore la victoire de son favori : il faisait de son mieux. Peu à peu, il reprit du terrain sur le gris. L'encolure tendue, le noir rattrapait presque le gris. Soudain les quatre poneys arrivèrent de front, grossissant à vue d'œil devant le nuage de poussière. Tout écumant, le poney bai au chanfrein blanc franchit la ligne d'arrivée, en battant le noir et le gris. La foule salua sa

106

victoire par des hurlements d'approbation.

— Si tu avais parié sur le noir, tu aurais perdu, Laura, dit Papa.

— Malgré tout, c'est le plus beau, répondit Laura.

Laura n'avait jamais vécu d'instants si agités.

Les yeux de Carrie brillaient et ses joues rosissaient sous l'effet de l'exaltation qui l'animait. L'une de ses nattes s'était prise dans un bouton, mais sans y prendre garde, elle tira d'un coup sec pour la dégager.

— Est-ce qu'il va y avoir d'autres courses, Papa? s'écria Carrie.

— Oui, oui, bien sûr. C'est au tour de la course de bogheis, maintenant, répondit Papa.

— Dis-nous quel attelage va gagner, Laura, dit M. Boast à Laura pour la taquiner.

Un premier attelage de chevaux bais tirant un léger boghei fendit la foule en direction de la ligne de départ. Les deux chevaux bais s'harmonisaient parfaitement et ils avançaient comme s'ils n'avaient aucune charge derrière eux. D'autres attelages le suivirent, tirant d'autres bogheis, mais Laura les remarqua à peine car elle venait de reconnaître un attelage de chevaux bruns. Elle connaissait bien leur silhouette élancée et leur allure fière, la courbure de leurs encolures, l'éclat satiné de leurs épaules, leurs folles crinières noires et les toupets tressautant au-dessus de leurs doux yeux expressifs.

— Oh, regarde, Carrie, regarde! Ce sont les *Morgan!* s'écria Laura.

— En effet, Boast, c'est bien l'attelage d'Almanzo Wilder, dit Papa. Mais à quel engin sont-ils attelés?

Almanzo dominait nettement les chevaux. Son chapeau rejeté sur l'arrière de la tête, il paraissait joyeux et confiant.

Il fit tourner l'attelage en direction de la ligne de départ et se rangea près des autres. A ce moment, ils se rendirent compte qu'il était assis sur un siège surélevé en haut d'un long et lourd chariot, avec une porte sur le côté.

— C'est le chariot de marchandises de son frère Royal, expliqua quelqu'un non loin d'eux.

— Avec un poids pareil, il n'a aucune chance contre tous ces légers bogheis, dit un autre.

Tout le monde avait les yeux fixés sur les chevaux *Morgan,* attelés au lourd chariot, et chacun donnait son avis.

— Celui qui porte la bricole, c'est Prince, le cheval avec lequel le jeune Wilder a parcouru en traîneau les soixante kilomètres, pour rapporter avec Cap Garland le blé qui nous a empêché de mourir de faim, raconta Papa à M. Boast. L'autre, c'est Lady, la jument qui a couru avec le troupeau d'antilopes. Ce sont de bonnes références d'endurance et de rapidité.

— Certainement, approuva M. Boast. Mais aucun attelage avec un chariot aussi massif ne pourra vaincre les chevaux de Sam Owen sur son boghei aussi léger qu'une plume. Le jeune Wilder aurait dû essayer de dénicher un boghei plus léger pour la circonstance.

— Ce gars a une sacrée trempe, dit quelqu'un. Il préfère perdre avec quelque chose qui lui appartient plutôt que perdre avec un boghei emprunté.

— Dommage qu'il n'ait pas eu de boghei à lui, dit M. Boast.

Les chevaux bruns l'emportaient de loin sur les autres chevaux alignés, par leur élégance et leur allure. Le lourd chariot derrière eux ne semblait pas les inquiéter le moins du monde. Ils hochaient la tête, dressaient les oreilles et piaffaient comme si le sol ne méritait pas que l'on posât les sabots dessus.

« Oh, quel dommage, quel dommage qu'ils n'aient aucune chance! », pensait Laura.

Les mains crispées, Laura regrettait de tout son cœur que ces magnifiques et fringants chevaux n'eussent pas d'espoir d'emporter la course. Attelés à un chariot aussi volumineux, ils ne pouvaient pas gagner.

— Ce n'est pas juste! cria-t-elle tout haut.

On donna le signal du départ. Les chevaux bais partirent les premiers. Les pattes des chevaux qui trottaient et les roues des bogheis qui tournaient semblaient à peine toucher le sol. Tous les bogheis à une place qui défilèrent devant les yeux de Laura étaient extrêmement légers. Aucun attelage n'avait à tirer ne fût-ce le poids d'un boghei à deux places, sinon les

110

splendides chevaux bruns qui venaient en dernier, et halaient le pesant et haut chariot de marchandises.

— Le meilleur attelage de la région, entendit dire Laura, mais il n'a aucune chance.

— Non, répondit quelqu'un, ce chariot est trop lourd. Les chevaux n'y arriveront pas.

Cependant les chevaux *Morgan* poursuivaient leur trot régulier. Les huit pattes brunes trottaient admirablement. Le nuage de poussière s'éleva derrière eux et les cacha à la vue de Laura. Puis, tels des bolides, les attelages réapparurent sur l'autre côté de la piste. Un boghei, non, deux bogheis suivaient le chariot de marchandises. Trois bogheis, à présent. Seuls les chevaux bais restaient en tête.

— Oh, allez, allez! se mit à crier Laura pour encourager les chevaux bruns.

Laura souhaitait si ardemment la victoire des *Morgan* que sa volonté semblait les propulser en avant.

Les chevaux avaient presque accompli le tour de la piste. Ils entamaient maintenant la dernière courbe en direction de la ligne d'arrivée. Les bais menaient toujours. Les chevaux *Morgan* ne pourraient pas les rattraper. Ils ne pouvaient pas gagner. La charge qu'ils tiraient constituait un handicap trop important. Pourtant, l'espoir montait en Laura et elle répétait de tout son cœur : « Plus vite, plus vite, juste un tout petit peu plus vite! Oh, allez, allez! »

Assis sur son siège surélevé, Almanzo se pencha en avant comme pour parler aux chevaux. Sans rompre le rythme souple de leur trot, ils se rapprochèrent et leurs têtes arrivèrent à la hauteur du boghei de M. Owen. Petit à petit, infailliblement, ils reprenaient du terrain. Dans une cadence endiablée, les chevaux bruns rattrapèrent peu à peu l'attelage de tête. Les quatre chevaux, rapides comme l'éclair arrivaient, à présent, côte à côte.

— Quelle course, mon Dieu, quelle course! s'exclama quelqu'un.

Alors, M. Owen sortit son fouet et, une fois, deux fois, il fouetta les chevaux en criant. Les bais, dans un nouvel élan, distancèrent les Morgan. Almanzo n'avait pas de fouet. Il se pencha en avant, les rênes bien en main. Il sembla les encourager une nouvelle fois. Rapides et aériens comme des hirondelles, les *Morgan* dépassèrent les chevaux bais en franchissant la ligne d'arrivée. Ils avaient gagné!

Toute la foule se déchaîna. Les cris qui fusaient de toute part déferlèrent comme une vague d'honneur sur les heureux vainqueurs. Laura s'aperçut qu'elle avait retenu son souffle pendant toute la durée de la course. Ses genoux se dérobèrent sous elle. Laura voulut crier, rire

112

et pleurer tout à la fois, s'asseoir, enfin, pour se remettre de ses émotions.

— Oh, ils ont gagné! Ils ont gagné! répétait Carrie en tapant dans ses mains.

Laura ne disait rien.

— Almanzo Wilder a gagné cinq dollars, dit M. Boast.

— Quels cinq dollars? demanda Carrie.

— Des gens ont misé cinq dollars sur le meilleur attelage de trot, expliqua Papa. Almanzo les a gagnés.

Laura se félicitait de ne pas l'avoir su. Elle n'aurait pas supporté de savoir que les chevaux bruns couraient pour un prix de cinq dollars.

— Il les a bien mérités, dit Papa. Ce jeune homme sait conduire les chevaux.

Les courses étaient terminées. Il n'y avait plus rien à faire sinon se promener un peu et écouter les conversations. Dans le tonneau, la citronnade avait bien diminué. M. Boast apporta aux filles une pleine louche qu'elles se partagèrent. On sentait davantage le sucre, mais c'était moins rafraîchissant. Les attelages et les bogheis repartaient. Papa revint de la foule qui se dispersait et annonça qu'il était temps de rentrer à la maison.

M. Boast descendit avec eux la Grand'rue. Papa lui raconta que les Wilder avaient une sœur qui était institutrice dans le Minnesota.

— Elle a pris une concession à moins d'un

kilomètre à l'ouest de la ville, dit Papa, et elle veut qu'Almanzo se renseigne pour savoir si elle peut enseigner ici, cet hiver. Je lui ai conseillé d'envoyer sa requête au Conseil de l'école. Tout compte fait, je ne vois pas pourquoi ce ne serait pas possible.

Laura et Carrie se regardèrent. Papa faisaient partie du Conseil de l'école et il n'y avait pas de raison que les autres membres fassent opposition.

« Si j'étudie avec ardeur et si elle m'aime bien, elle acceptera peut-être de m'emmener faire une promenade derrière les magnifiques chevaux *Morgan* », pensa Laura.

CHAPITRE 9

LES MERLES

Au mois d'août, il faisait si chaud que Laura et Marie partaient en promenade le matin de bonne heure, quand le soleil était encore bas dans le ciel. A ce moment de la journée, on trouvait encore un peu de fraîcheur et la chaleur n'était pas trop accablante. Mais chacune de leurs promenades les rapprochait un peu plus du jour de la séparation car Marie allait bientôt partir.

C'était décidé; Marie irait au collège à l'automne. Ils espéraient cet événement depuis très longtemps ; pourtant, à présent que le départ de Marie était fixé, ils avaient du mal à y croire vraiment. Il était difficile d'imaginer la nouvelle vie de Marie parce qu'aucun d'eux ne savait à quoi ressemblait un collège, faute d'en avoir jamais vu. Finalement, Papa avait gagné presque cent dollars au printemps ; le jardin, l'avoine et le maïs poussaient à merveille, et, en conséquence, Marie allait réellement partir au collège.

Un matin, au retour d'une de leurs promenades, Laura remarqua quelques brins d'herbe accrochés à la jupe de Marie. Elle essaya de les retirer mais en vain.

— Maman ! appela Laura. Viens voir cette drôle d'herbe.

Maman ne connaissait pas le nom de cette herbe dont les têtes ressemblaient aux épis barbus de l'orge à la différence près qu'ils étaient entortillés et se terminaient par un épillet de deux centimètres de long. Elle se prolongeait par une pointe aussi dure et effilée qu'une aiguille et la tige se hérissait de poils durs poussant à rebrousse-poil. Comme de véritables aiguilles, les pointes s'étaient enfoncées dans la robe de Marie. Les barbes tortillées de l'épi d'une longueur de six centimètres poussaient toujours plus avant la pointe effilée et la tige hérissée rendait malaisée leur extraction.

— Aïe ! Quelque chose m'a piqué ! fit Marie.

116

Juste au-dessus de sa bottine, l'une de ces herbes étranges avait transpercé son bas et s'enfonçait dans sa chair.

— Je n'ai jamais vu une chose pareille, dit Maman. Je me demande quelle autre surprise nous réserve cet endroit!

A midi, quand Papa rentra à la maison, elles lui montrèrent l'herbe inconnue. Il dit que c'était une graminée dangereuse qui blessait la langue des chevaux et pouvait entraîner la mort des moutons si elle venait à traverser leur toison.

— Où en avez-vous trouvé, les filles? demanda Papa.

Il se réjouit que Laura ne pût lui répondre précisément.

— Si tu ne t'en souviens plus, il ne doit pas y en avoir beaucoup. Ces graminées poussent par touffes et s'étendent rapidement. Quel chemin avez-vous suivi exactement?

Quand Laura lui eut répondu, Papa déclara qu'il allait s'en occuper.

— Il paraît que le feu détruit ces herbes quand on les brûle suffisamment tôt. Je vais y aller tout de suite pour tuer le plus de graines possibles et le printemps prochain, je veillerai à les brûler avant qu'elles soient mûres.

Au dîner, on mangea des petites pommes de terre nouvelles accompagnées d'une crème de pois, plus des haricots verts et des oignons. Près de chaque assiette était posée une soucoupe remplie de tranches de tomates bien mûres à déguster avec du sucre et de la crème.

— Eh bien, voilà une profusion de bonnes choses, se félicita Papa en se servant pour la seconde fois de pommes de terre et de pois.

— Oui, approuva Maman joyeusement. Maintenant, nous avons de quoi manger suffisamment pour compenser toutes nos journées de jeûne de l'hiver dernier.

Maman était fière du jardin si florissant.

— Demain, je ferai dégorger les concombres. Il commence à y en avoir beaucoup, dit-elle. Et les fanes de pommes de terre sont si touffues que j'ai du mal à biner autour.

— Si tout va bien, nous aurons des pommes de terre à profusion, cet hiver, se réjouit Papa.

— Bientôt, nous aurons aussi du maïs à faire griller, annonça Maman. J'ai remarqué que certains épis commençaient à foncer.

— Je n'ai jamais vu de plus belle récolte de maïs, avoua Papa. Nous pouvons au moins compter là-dessus.

— Et l'avoine? demanda Maman.

Puis, elle ajouta aussitôt :

— Qu'est-ce qui ne va pas pour l'avoine, Charles?

— Eh bien, les merles sont en train de la dévorer, lui répondit Papa. Dès que j'ai fini d'élever une meulette, ils s'abattent dessus, ils mangent les graines et ne laissent que la paille.

Le visage de Maman se rembrunit, mais Papa poursuivit :

— Cela ne fait rien. Nous aurons toujours une bonne récolte de paille et quand j'aurai fini de mettre les gerbes en meules, je me chargerai des merles avec mon fusil.

Cet après-midi-là, en levant les yeux de son ouvrage afin d'enfiler son aiguille, Laura aperçut un ruban de fumée qui s'élevait dans les vagues d'air chaud au-dessus de la Prairie.

Avant d'aller travailler dans le champ d'avoine, Papa avait pris le temps d'aller labourer une bande de terre autour des dangereuses graminées pour les isoler et y mettre le feu.

— La Prairie semble si pacifique, dit Laura, je me demande ce qu'elle inventera la prochaine fois. On dirait qu'il faut se battre sans arrêt contre elle.

— La vie terrestre est un incessant combat, dit Maman. On a jamais fini de se battre. Il en a toujours été ainsi et cela ne changera jamais. Plus vite on le comprend, mieux cela vaut car cela permet d'apprécier davantage les moments de joie. Bon, je suis prête à faire l'essayage du corsage, Marie.

Maman et Laura étaient en train de confectionner une ravissante robe d'hiver pour Marie en prévision de son départ prochain au collège. Le soleil qui tapait sur les minces murs de bois et sur le toit rendait la chaleur de la pièce étouffante. Sous le lourd cachemire de laine déplié sur leurs genoux, Laura et Maman transpiraient à grosses gouttes. La confection de cette robe mettait les nerfs de Maman à rude épreuve. Elle avait fait les robes d'été en premier pour se familiariser avec le patron.

Maman avait découpé le patron dans un journal en se guidant sur son tableau de couturière en carton mince. Des marques et des chiffres correspondant à des tailles différentes étaient imprimés dessus. Malheureusement, personne n'avait l'une des tailles indiquées. Maman prit les mesures de Marie et nota approximativement les dimensions des manches et des pièces du corsage sur le tableau. Elle découpa le patron, coupa et faufila la doublure, mais après un premier essayage sur Marie, elle dut retoucher toutes les coutures.

Pour la première fois, Laura découvrait que Maman n'aimait pas coudre. On ne lisait aucun signe d'énervement sur son visage et sa voix restait posée, mais un imperceptible pincement de ses lèvres indiquait clairement à Laura que Maman ne détestait pas moins qu'elle la couture.

Mme White leur avait appris que, d'après sa

sœur qui habitait dans l'Iowa, les robes à crinoline revenaient à la mode à New York et cela ajoutait à leur agacement. On ne pouvait pas encore se procurer de cerceaux en ville, mais M. Clancy avait l'intention d'en commander.

— Vraiment, je ne sais pas quoi faire, se lamenta Maman en songeant aux robes à crinoline.

Mme Boast avait reçu un magazine de mode, l'année dernière, le *Godey's Lady's Book*. Si elle avait celui de cette année, cela trancherait la question. Mais Papa fauchait l'avoine et le foin et, le dimanche, ils étaient tous trop fatigués pour faire sous le soleil la longue route jusqu'à la maison des Boast. Quand enfin Papa rencontra Boast en ville, un samedi, celui-ci lui dit que Mme Boast n'avait pas le dernier numéro du *Godey's Lady's Book*.

— Nous n'avons qu'à faire la jupe suffisamment large, décida Maman. Si les crinolines reviennent effectivement à la mode, Marie pourra en acheter dans l'Iowa. En attendant, les jupons suffiront à maintenir la jupe bien bouffante.

Maman et Laura avaient confectionné quatre nouveaux jupons pour Marie : deux en mousseline écrue, un en mousseline blanchie et un autre en fine percale blanche. Au bas du jupon de fine percale, Laura avait cousu à petits points les cinq mètres de galon qu'elle avait tricoté et offert à Marie pour Noël.

Elles lui avaient fait également deux jupons de flanelle grise et trois combinaisons de flanelle rouge. Au-dessus de l'ourlet des jupons, Laura passa un fil d'un rouge lumineux qui ressortait joliment sur la flanelle grise. Elle cousit au point arrière toutes les coutures des jupons et des combinaisons et autour des encolures et des poignets des longues manches rouges, elle passa un fil bleu.

Laura employait pour cela tous ses jolis fils à broder qui se trouvaient dans le tonneau de Noël envoyé par le Révérend Alden, l'hiver dernier, mais elle le faisait de bonne grâce : aucune fille du collège n'aurait de dessous plus jolis que ceux de Marie.

Quand Maman eut fini de coudre les robes de Marie et eut bien aplati les coutures avec le fer à repasser, Laura cousit les baleines sur les coutures et sur les pinces des corsages. Laura se donna beaucoup de mal pour les coudre soigneusement sans la moindre petite fronce afin que chaque corsage s'ajustât parfaitement et tombât comme il fallait. Ce travail minutieux demandait une telle attention que Laura sentit de vives douleurs dans le bas de son cou.

A présent, le corsage de la robe d'hiver de Marie était prêt pour le dernier essayage.

C'était une robe en cachemire marron bordée de tissu de batiste de la même couleur. Le long de la rangée de boutons qui étaient cousus sur le devant, Maman avait fixé un étroit froncis fait de tissu écossais brun et bleu, égayé de fils rouges et or. Pour agrémenter le col coupé dans le même écossais, Maman avait l'intention de fixer une longue bande de dentelle à l'intérieur.

— Oh, Marie, c'est magnifique! Le bas de la jupe tombe à merveille et les épaules sont parfaitement ajustées, lui dit Laura. Les manches moulent parfaitement les bras jusqu'aux coudes.

— Oui, dit Marie, mais je ne sais pas si je vais pouvoir boutonner...

Laura vint se placer devant elle.

— Retiens ton souffle, Marie. Expire un bon coup et ne bouge plus, dit-elle nerveusement.

— C'est trop serré, dit Maman, au désespoir.

Quelques boutons tiraient sur leurs boutonnières et on ne pouvait pas boutonner les autres du tout.

— Ne respire pas, Marie! Ne respire pas! répéta Laura fiévreusement.

Et rapidement, elle déboutonna les boutons trop tendus.

— Vas-y, tu peux respirer, maintenant.

Marie respira librement sous le corsage ouvert.

— Oh, comment ai-je pu me tromper à ce point? dit Maman. Ce corsage allait bien pourtant, la semaine dernière.

Soudain, Laura eut une idée.

— C'est le corset! C'est sûrement ça. Les lanières du corset ont dû se détendre, dit Laura.

En effet, quand Marie retint une nouvelle fois sa respiration, Laura resserra les lanières du corset et on put boutonner le corsage qui lui allait comme un gant.

— Je suis contente de ne pas mettre de corset, dit Carrie.

— Profites-en, dit Laura. Tu devras bientôt en porter.

Le port du corset rendait Laura malheureuse du matin jusqu'au soir. Mais quand les filles relevaient leurs cheveux et portaient des jupes qui descendaient jusqu'en haut de leurs bottines, elles devaient porter des corsets.

— Tu devrais le garder la nuit, Laura, ajouta Maman.

Marie s'en accommodait, mais la nuit, Laura ne supportait pas la pression des baleines qui l'empêchaient de respirer à son aise. Elle ne parvenait pas à s'endormir avec.

— Quelle silhouette auras-tu plus tard, Dieu seul le sait! la mit en garde Maman. Quand je me suis mariée, ton père pouvait serrer ma taille entre ses deux mains.

— Il ne peut plus maintenant, répondit Laura d'un air coquin, et pourtant, il t'aime autant qu'avant.

— Ne sois pas effrontée, Laura, la réprimanda Maman.

Mais ses joues rosirent et un sourire flotta sur ses lèvres.

A présent, Maman arrangeait la dentelle blanche à l'intérieur du col de Marie, l'épinglant de manière à le faire retomber en cascades gracieuses sur le haut du corsage.

Maman, Laura et Carrie se reculèrent pour admirer Marie. La jupe à godets en tissu de cachemire d'une chaude couleur marron tombait très élégamment sur le devant en restant assez près du corps et s'évasait sur les côtés et derrière en gros plis souples suffisamment amples pour porter une crinoline. Le bas de la robe orné d'un volant froncé, s'arrondissait régulièrement à ras du sol et se prolongeait gracieusement par une courte traîne qui frôla le plancher dans un froufrou soyeux quand Marie tourna sur elle-même.

La jupe de dessus coupée dans l'écossais marron et bleu était légèrement remontée sur les côtés afin de mettre en valeur la jupe de dessous et derrière, elle retombait en grosses fronces bouffantes relevées au-dessus de la traîne à falbala.

Le corsage bien ajusté faisait ressortir la taille de guêpe de Marie. Les jolis boutons montaient jusqu'à la souple broderie blanche nouée en jabot au-dessous de son menton. Le cachemire marron enveloppait délicatement la ligne gracieuse de ses épaules jusqu'à ses coudes d'où les manches s'évasaient vers les poignets. Un bouillon de tissu écossais ornait le bas des larges manches qui découvraient des manchettes en dentelle blanche et mettaient en relief les mains fuselées de Marie.

Cette robe magnifique rehaussait la beauté de Marie. Ses cheveux étaient plus soyeux et plus dorés que les fils de soie or de l'écossais et ses pauvres yeux aveugles plus bleus que le bleu de l'étoffe. Elle avait les joues légèrement rosées et une grande élégance émanait de toute sa personne.

— Oh, Marie! s'exclama Laura. On croirait que tu descends tout droit d'une gravure de mode. Personne ne pourra rivaliser avec toi au collège, c'est impossible.

— Est-ce vrai, Maman? demanda Marie, les joues un soupçon plus roses.

Pour une fois, Maman n'eut crainte de flatter la vanité de ses filles.

— Oui, Marie, acquiesça Maman. Non seulement tu es très élégante, mais en plus tu es belle. Partout où tu iras, on te regardera avec ravisse-

ment. Et je suis convaincue que tes vêtements conviendront en toute occasion.

Elles durent s'arracher à leur contemplation car Marie mourait de chaleur sous le chaud lainage. Maman et Laura, fières du résultat de leurs efforts, aidèrent Marie à ôter sa robe qu'elles étendirent soigneusement. Il ne restait plus que quelques petits détails à présent pour compléter le trousseau. Maman devait faire un chapeau de velours et tricoter quelques paires de bas. Quant à Laura, il lui fallait encore tricoter une paire de mitaines en fil de soie marron.

— Je pourrai les tricoter pendant mes heures de loisir, dit Laura. Nous avons fini le plus gros juste à temps pour que j'aie le temps d'aider Papa à faire les foins.

Laura aimait travailler avec Papa. Elle prenait plaisir à ces activités au grand air et espérait secrètement que les travaux dans les champs lui donneraient l'occasion de retirer son corset.

— Tu peux aider Papa à charger le foin, agréa Maman de mauvaise grâce, mais il le mettra en meules en ville.

— Oh, Maman, *non!* Nous n'allons pas retourner en ville? s'écria Laura.

— Modère-toi, Laura, dit Maman doucement. Souviens-toi qu'une femme distinguée doit toujours garder une voix douce et posée.

— Devons-nous vraiment retourner nous installer en ville? murmura Laura.

— Ton père et moi pensons qu'il vaut mieux ne pas courir le risque de passer l'hiver dans cette maison tant qu'elle ne sera pas suffisamment calfeutrée, répondit Maman. Tu sais bien qu'ici nous n'aurions pas pu affronter le mauvais temps de l'hiver dernier.

— Cet hiver ne sera peut-être pas aussi rigoureux, suggéra Laura.

— On ne doit pas tenter le sort, répliqua Maman avec fermeté.

Laura comprit qu'il n'y avait pas à revenir sur cette décision; ils passeraient l'hiver en ville. Laura devait se faire une raison.

Cet après-midi-là, quand la joyeuse volée de merles se mit à tournoyer au-dessus du champ d'avoine, Papa prit son fusil et tira. Il n'aimait pas cela et personne dans la maison ne se réjouissait d'entendre les coups de feu mais il fallait bien s'y résoudre. Papa devait protéger les récoltes coûte que coûte. Cet hiver, le foin servirait à nourrir les chevaux, Ellen, le veau et la génisse mais l'avoine et le maïs seraient vendus et, avec l'argent qu'il en tirerait, Papa paierait les impôts et achèterait du charbon.

Le lendemain matin, dès que le soleil eut séché la rosée, Papa sortit faucher avec la faucheuse. Dans la maison, Maman entreprit la confection du chapeau en velours destiné à Marie et Laura tricota activement une mitaine de soie marron. A onze heures, Maman s'interrompit.

— Miséricorde, il est déjà l'heure de préparer le repas, s'exclama-t-elle. Laura, va vite voir si tu peux trouver quelques épis de maïs que nous ferons cuire à l'eau.

Le maïs dépassait Laura, à présent. Les longues feuilles rapprochées murmurant sous la caresse du vent et la douce oscillation des aigrettes constituaient un magnifique tableau. Comme Laura s'avançait dans le champ, une nuée d'oiseaux noirs prit son envol et tournoya au-dessus d'elle. Le bruit de leurs ailes recouvrit le murmure des longues feuilles et les oiseaux étaient en si grand nombre qu'ils obscurcirent le soleil comme un nuage. La volée rasa le champ de maïs et se posa à nouveau.

Les épis de maïs abondaient. Presque toutes les tiges portaient deux épis et certaines trois. Les grains étaient secs. Seul un peu de pollen volait encore autour et les panaches, semblables à d'épaisses touffes de cheveux verts, pendaient au bout des enveloppes vertes. Ici et là, un panache plus foncé indiquait la présence d'épis bien tombés sous leur enveloppe. Avant de séparer l'épi de sa tige, Laura fendait l'enveloppe afin d'examiner les rangs de grains laiteux et s'assurer qu'ils étaient mûrs.

Les merles continuaient leur vol circulaire au-dessus d'elle. Soudain, Laura fut pétrifiée. Les merles s'attaquaient au maïs!

Par endroits, elle découvrit des épis à moitié rongés. Les épis étaient effeuillés et la rafle dépouillée de ses grains. Les oiseaux se posaient sur le maïs sans s'inquiéter de la présence de Laura. Leurs pattes agrippées aux épis, ils arrachaient les enveloppes de leurs becs pointus et picotaient et avalaient rapidement les grains.

Silencieusement et au bord du désespoir, Laura leur fit la chasse. Elle avait envie de hurler et, d'un geste vengeur, frappa les oiseaux avec sa capeline. Ils s'envolaient à tire-d'aile mais pour se reposer un peu plus loin, devant, derrière et autour d'elle. Accrochés aux épis oscillants, ils arrachaient les enveloppes et engloutissaient la récolte sous ses yeux. Seule, Laura ne pouvait rien contre eux.

Laura détacha quelques épis, les mit dans son tablier et courut à la maison. Son cœur battait à tout rompre et ses poignets et ses genoux tremblaient. Quand Maman lui demanda la raison de sa nervosité, Laura répondit à contrecœur :

— Les merles mangent le maïs! Est-ce que je dois aller prévenir Papa?

— Les merles mangent toujours un peu de maïs. Ce n'est pas dramatique, dit Maman. Mais tu peux lui apporter quelque chose de frais à boire.

Dans le champ de foin, Papa ne se tourmenta pas outre mesure à propos des merles. Il dit qu'ils les avaient à peu près tous chassés du champ d'avoine après en avoir tué une bonne centaine.

— Ils vont probablement voler un peu de maïs mais on n'y peut rien, conclut-il.

— Il y en a tant! insista Laura. Papa, si ta récolte de maïs est anéantie, est-ce... est-ce que Marie ira au collège?

— Tu penses que c'est si grave que ça?

— Ils sont si nombreux, répéta Laura.

Papa observa le soleil.

— Bon, eh bien, une heure de plus ou de moins ne changera pas grand-chose. Je verrai ça quand je rentrerai pour le déjeuner.

A midi, Papa prit son fusil et se dirigea vers le champ de maïs. Il marcha le long des sillons et tira dans la nuée de merles au moment où elle s'envolait. A chaque coup de fusil, une grêle d'oiseaux morts tombait à ses pieds mais le nuage noir se rabattait toujours sur le champ. Quand Papa eut tiré toutes ses cartouches, les flopées d'ailes semblaient encore aussi denses.

Il n'y avait pas un merle dans le champ d'avoine. Ils l'avaient déserté après avoir dévoré tous les grains. Après leur passage, il ne restait que la paille.

Maman pensait pouvoir tenir les merles à distance du maïs avec l'aide des filles. Elles essayèrent. Même Grace parcourut le champ de toute la force de ses petites jambes en poussant des cris perçants et en agitant sa capeline. Les merles volaient en rond autour d'elles et se reposaient un peu plus loin, continuant tranquillement à déchirer les enveloppes des épis de maïs pour picoter les grains et les avaler.

— Vous vous fatiguez pour rien, Caroline, dit Papa. Je vais en ville acheter de nouvelles cartouches.

Après son départ, Maman leur dit :

— Voyons si nous ne pouvons pas écarter les merles jusqu'à son retour.

Sous le soleil accablant, elles arpentèrent le champ en tous sens, courant et trébuchant sur les mottes de terre sans cesse de jeter des cris aigus et d'agiter leurs bras. La sueur inondait leur visage et coulait dans leur dos. Les feuilles de maïs sèches et rêches coupaient leurs mains et leurs joues. Elles avaient la gorge irritée à force de crier. D'incessants battements d'ailes fendaient l'air autour d'elles et les oiseaux qu'elles délogeaient se reposaient un peu plus loin. Il y avait toujours des grappes d'oiseaux accrochées aux épis et des becs pointus picotant avec acharnement le maïs.

A la fin, Maman abandonna.

— Cela ne sert à rien, les filles, dit-elle.

Papa rapporta des cartouches. Tout l'après-midi, il tira sur les merles. Ils étaient si nombreux qu'il abattait plusieurs oiseaux à chaque coup de feu. On aurait dit que plus il tirait, plus le nombre d'oiseaux augmentait comme si tous les merles du Dakota s'étaient donné rendez-vous pour un grand festin.

Au début, on ne remarquait que des merles communs puis d'autres espèces les rejoignirent et grossirent leur nombre : des merles plus grands avec des têtes jaunes et une tache rouge sur les ailes. On pouvait en compter des centaines.

Le lendemain matin, une nuée d'oiseaux noirs s'abattit sur le champ de maïs. Après le petit déjeuner, Papa revint à la maison les bras pleins d'oiseaux qu'il avait tués.

— Je n'ai jamais entendu dire que l'on mangeait les merles, dit-il, mais ceux-là doivent être comestibles et ils sont gras à souhait.

— Prépare-les, Laura, et nous les ferons cuire pour le déjeuner, dit Maman. A quelque chose malheur est bon !

Laura apprêta les oiseaux et à midi, Maman fit chauffer la poêle et les posa dedans. Elle les fit frire dans leur graisse et au déjeuner, tout le monde tomba d'accord pour reconnaître qu'ils n'avaient jamais mangé de viande aussi tendre et savoureuse.

Après le repas, Papa rapporta une nouvelle brassée de merles et une autre de maïs.

— Je crois que nous devons faire notre deuil du maïs, dit Papa. Ces épis sont encore un peu verts mais il vaut mieux les manger plutôt que les abandonner aux merles.

— Mais pourquoi n'y ai-je pas pensé plus tôt !

s'écria Maman. Laura et Carrie, courez ramasser le plus d'épis possible. Prenez les plus mûrs, nous les ferons sécher. Nous arriverons bien à en récupérer un peu pour manger l'hiver prochain.

Laura savait pourquoi Maman n'y avait pas songé avant : des soucis imprévus la préoccupaient. La récolte de maïs était perdue et Papa devrait entamer ses économies pour payer les impôts et acheter du charbon. Comment arriveraient-ils à envoyer Marie au collège cet automne?

Les merles affluaient en si grand nombre, à présent, qu'entre les alignements de maïs, leurs ailes fouettaient les bras de Laura et le bord de sa capeline. Elle sentait les rapides battements d'ailes près de sa tête et Carrie criait que les oiseaux la picotaient. On avait l'impression que les merles considéraient le champ de maïs comme leur propriété et qu'ils luttaient pour le défendre. Ils s'envolaient juste sous leur nez et donnaient des coups de bec sur leur capeline.

Il ne restait plus beaucoup d'épis. Les oiseaux avaient effeuillé et picoté même les moins mûrs, ceux dont les grains étaient à peine formés. Mais Laura et Carrie remplirent plusieurs fois leur tablier d'épis pas trop entamés.

A leur retour, Laura chercha en vain les merles que Papa avait tués afin de les apprêter pour le dîner mais Maman ne voulut pas lui dire où elle les avait mis.

— Attends un peu, répondit Maman d'un air mystérieux. En attendant, faisons cuire ce maïs à l'eau. Ensuite, nous enlèverons les grains pour les faire sécher.

Il y a un coup de main à prendre pour séparer les grains de maïs de la rafle. On doit faire glisser régulièrement le couteau sur toute la longueur de l'épi en l'enfonçant suffisamment profondément pour détacher presque tout le grain, mais pas trop, pour éviter de prendre avec une partie de la poche rêche dans laquelle ils poussent. Les grains tombent en flots frais et laiteux.

Maman étendit les grains de maïs sur une vieille nappe propre et les recouvrit avec un autre tissu pour les mettre à l'abri des merles, des poules et des mouches. Le soleil brûlant sècherait le maïs et, l'hiver prochain, cela constituerait un mets excellent.

— Cette façon de conserver le maïs vient des Indiens, fit remarquer Papa quand il rentra à la maison pour le déjeuner. Tu dois admettre, Caroline, qu'il y a de bonnes choses chez les Indiens.

— Dans ce cas, répliqua Maman, tu le répètes assez souvent toi-même pour que je puisse m'abstenir de le dire.

Maman avait horreur des Indiens, mais pour le moment on sentait qu'elle taisait à grand-peine quelque secret qui ne devait pas être sans rapport avec la disparition des merles.

— Peigne-toi, Charles, et viens t'asseoir à table, dit Maman.

Elle ouvrit la porte du four et en sortit un plat en fer-blanc recouvert d'une appétissante croûte dorée et bosselée. Maman posa le plat devant Papa qui n'en crut pas ses yeux.

— De la croustade de volaille! s'exclama
Papa.

— Oui, dit Maman. « Il y a une chanson de
quat'sous... »

Aussitôt, Laura, Carrie, Marie et même Grace
entonnèrent la suite :

> ... « *Sur vingt-quatre merles*
> *A la panse pleine*
> *Transformés en pâté!*
> *Le pâté entamé,*
> *Ils se mirent à chanter :*
> *Quel mets délicat*
> *Pour le palais d'un roi!* »

— Eh bien, quelle surprise! dit Papa.

Papa entama la croustade et mit un copieux
morceau dans une assiette. Il versa quelques
cuillerées d'alléchante sauce brune sur la croûte
légère et soufflée et déposa à côté la moitié d'un
merle doré à point et si bien cuit que la chair se
détachait des os. Papa tendit cette assiette à
Maman assise en face de lui et continua à servir.

Le fumet de cette croustade leur faisait
monter l'eau à la bouche à tous et ils durent
avaler plusieurs fois leur salive pour tromper
leur attente pendant que Papa servait les por-
tions.

Sous la table, la chatte se frottait contre leurs

jambes et ses ronronnements de gourmandise se transformèrent bientôt en miaulements quémandeurs et impatients.

— Il y a douze oiseaux dans le plat, dit Maman. Juste deux par personne, mais un seul suffira amplement pour Grace, aussi tu peux en prendre un troisième, Charles.

— Quelle trouvaille! Vu la taille de nos poulets, je ne m'attendais vraiment pas à manger de la croustade de volaille avant un an! s'exclama Papa.

Il goûta une bouchée.

— Cela vaut bien une croustade de poulet, affirma-t-il.

Ils reconnurent tous que cette croustade de merle était même meilleure que celles de poulet. En plus de cela, il y avait des pommes de terre nouvelles, des pois, des concombres, des carottes nouvelles cuites à l'eau et du fromage blanc, et tout cela un jour de semaine. Tant qu'il y aurait des merles et que le jardin donnerait des légumes, ils mangeraient tous les jours aussi copieusement!

Laura pensa que Maman avait raison de répéter qu'à quelque chose malheur est bon. Pourtant, le cœur de Laura restait lourd. Les récoltes d'avoine et de maïs étaient détruites et elle se demandait comment Marie pourrait partir au collège. On devrait ranger les deux nouvelles robes d'été, la magnifique robe d'hiver et les jolis sous-vêtements jusqu'à l'année prochaine. Ce serait une cruelle déception pour Marie.

Papa termina la crème rose et sucrée au fond de sa soucoupe de tomates et but son thé. Le déjeuner était terminé. Papa se leva, prit son chapeau au clou et dit à Maman :

— Demain, c'est samedi. Si tu as l'intention de m'accompagner en ville, nous pourrons ramener la malle de Marie.

Marie sursauta.

— Est-ce que Marie va au collège? s'écria Laura.

Papa parut étonné.

— Pourquoi cette question, Laura? demanda-t-il.

— Mais... La récolte d'avoine et celle de maïs sont perdues.

— Je n'imaginais pas que tu étais assez grande pour t'inquiéter à ce sujet, Laura. Je vais vendre la génisse, voilà tout.

— Oh, *non!* Pas la génisse! intervint Marie.

Dans un an, la génisse serait une vache, ce qui leur en ferait deux et leur permettrait d'avoir du lait et du beurre à longueur d'année. Si Papa vendait la génisse, ils devraient attendre deux années de plus pour que le petit veau grandît et devînt une vache à son tour.

140

— La vente de la génisse nous sortira d'affaire, dit Papa. Je devrais en tirer au moins quinze dollars.

— Ne vous inquiétez pas pour cela, les filles, ajouta Maman. On doit couper son manteau pour l'ajuster.

— Oh, Papa, cela te fait perdre une année entière, se désola Marie.

— Cela ne fait rien, Marie, la réconforta Papa. Il est temps que tu ailles au collège et maintenant que nous en avons pris la décision, nous ne remettrons pas ton départ. Ce n'est pas quelque fichus oiseaux de plus ou de moins qui changeront nos plans.

CHAPITRE 10

LE DÉPART DE MARIE
AU COLLÈGE

La veille du départ arriva. Marie partait au collège le lendemain matin.

Papa et Maman avaient rapporté à la maison sa nouvelle malle. L'extérieur en fer-blanc scintillant présentait une surface bosselée. Des baguettes de bois verni renforçaient les angles et le milieu de la malle et trois autres striaient la longueur de son couvercle bombé. De petits bouts de fer étaient vissés sur les coins pour protéger le bois. Quand on rabaissait le couvercle, deux languettes en fer venaient s'encastrer dans deux fourreaux de métal et on pouvait fermer la malle au cadenas grâce à deux paires d'anneaux qui venaient se superposer.

— C'est une bonne malle et solide avec ça, dit Papa. Je la corderai avec les dix mètres de corde que j'ai achetée.

Quand Marie palpa le couvercle de la malle du bout de ses doigts, son visage s'illumina. Laura lui dépeignit l'éclat des plaques de fer-blanc et le chatoiement du bois jaune.

— C'est le tout dernier modèle, Marie. Elle te servira toute la vie, dit Maman.

Un bois lisse et poli garnissait l'intérieur de la malle. Maman disposa des feuilles de papier journal dans le fond et sur les côtés avant d'empiler les vêtements de Marie et elle bourra les quatre coins de boules de papier en prévision des chocs possibles pendant leur long voyage en train. De peur que les effets personnels de Marie ne parvinssent pas à remplir entièrement la malle, Maman ajouta également plusieurs couches de journaux. Mais quand tout se trouva empaqueté à l'intérieur et bien tassé, la pile des affaires débordait d'une hauteur égale à la profondeur du couvercle et Maman dut s'asseoir dessus pour le tenir fermé pendant que Papa accrochait les cadenas d'un coup sec.

Puis Papa fit rouler la malle sur tous ses côtés afin de la corder solidement et Laura l'aida à maintenir la corde tendue pendant qu'il faisait rapidement les nœuds.

— Voilà du bon travail, dit-il enfin.

Tant qu'ils s'activaient, ils ne pensaient pas à l'imminence du départ de Marie. Mais à présent, tout était prêt et en attendant l'heure du dîner le souvenir de l'absence prochaine de Marie leur revint douloureusement à la mémoire.

Papa s'éclaircit la gorge et partit dehors. Maman alla chercher le panier dans lequel elle mettait le linge à raccommoder mais elle se contenta de le poser sur la table et resta debout à regarder par la fenêtre.

— Marie, tu ne pars pas, n'est-ce pas? Tu ne pars pas? bredouilla Grace d'une toute petite voix. Raconte-moi une histoire, s'il te plaît.

Marie prit Grace sur ses genoux et lui raconta pour la dernière fois l'histoire de Grand-papa et de la panthère dans les Grands Bois du Wisconsin. A son retour du collège, Grace serait une grande fille.

— Non, Grace, cela suffit maintenant! dit Maman quand Grace demanda une nouvelle histoire. Marie, qu'aimerais-tu manger au dîner? ajouta-t-elle.

Ce repas serait le dernier qu'ils prendraient tous ensemble.

— Tout ce que tu cuisines est délicieux, Maman, répondit Marie.

144

— Il fait si chaud, dit Maman. Je crois que je vais préparer des boulettes de fromage blanc à l'oignon et de la purée de pois fraîche. Tu veux bien me rapporter une laitue et des tomates du jardin, Laura?

Marie demanda soudain :

— Puis-je t'accompagner, Laura? J'aimerais marcher un peu.

— Vous n'avez pas besoin de vous presser, leur dit Maman. Nous avons tout le temps jusqu'au dîner.

Laura et Marie longèrent l'étable et gravirent la petite élévation de terrain située derrière. Le soleil se posait doucement sur la terre pour se reposer, tel un roi tirant les rideaux fastueux de son grand lit, pensa Laura. Mais Marie n'appréciait pas beaucoup ces comparaisons fantaisistes et Laura se contenta de dire :

— Le soleil se couche au milieu des nuages blancs et cotonneux qui bordent l'horizon, Marie. Leurs sommets sont pourpres et de grands voiles rose et or aux bords nacrés tombent du haut du ciel et forment un immense baldaquin flamboyant au-dessus de la prairie. Entre eux les pans de ciel sont vert émeraude.

Marie s'arrêta.

— Nos promenades me manqueront, dit-elle.

Sa voix tremblait légèrement.

— A moi aussi, dit Laura en avalant sa

salive. Mais pense que tu vas enfin au collège.

— Je n'aurais pas pu y aller sans toi, dit Marie. Tu m'as toujours aidée à étudier et tu as donné à Maman tes neuf dollars pour moi.

— Ce n'est pas grand-chose, dit Laura. Je désirais seulement...

— Si, c'est beaucoup, l'interrompit Marie. C'est énorme.

Laura sentit son cœur se serrer.

— J'espère que tu te plairas au collège, Marie, poursuivit Laura.

— Oh oui, certainement, répondit Marie dans un souffle. Rien que la pensée de pouvoir bientôt me consacrer à mes études... d'apprendre même à jouer de l'harmonium me comble de joie. Et c'est en partie à toi que je le dois, Laura. Bien que tu n'enseignes pas encore, tu as facilité mon départ au collège.

— J'enseignerai dès que j'aurai l'âge requis, dit Laura. Alors je t'aiderai davantage encore.

— J'aimerais que tu n'y sois pas obligée, dit Marie.

— Mais j'y tiens absolument, répliqua Laura. Seulement, je dois encore attendre un peu. Tu sais qu'on ne peut pas devenir institutrice avant seize ans. C'est la loi.

— Je ne serai pas là quand tu les auras, dit Marie.

Soudain, elles eurent l'impression que Marie

partait pour toujours. L'avenir leur sembla effrayant et dépourvu de sens.

— Oh, Laura, je n'ai jamais quitté la maison jusque-là. Je me demande ce qui va se passer, confessa Marie.

Tout son corps tremblait.

— Tout se passera très bien, la rassura Laura d'un ton convaincu. Maman et Papa t'accompagnent et je sais que tu réussiras l'examen d'entrée. Ne t'inquiète pas.

— Je n'ai pas peur. Je n'aurai pas *peur,* insista Marie. Je serai seule, voilà tout. Mais on ne peut rien y faire.

— Non, dit Laura.

Laura s'éclaircit la voix et poursuivit :

— Le soleil a disparu dans les nuages blancs comme une énorme boule de feu palpitante. Au-dessus de l'horizon, les nuages sont violets, écarlates, or et pourpre et, plus haut dans le ciel, ils rougeoient comme des flammes.

— J'ai l'impression de sentir cette lumière sur mon visage, dit Marie. Je me demande si le ciel et les couchers de soleil d'ici ressemblent à ceux de l'Iowa.

Laura ne savait pas. Elles redescendirent lentement la petite colline. Leur dernière promenade s'achevait ou du moins leur dernière promenade avant bien, bien longtemps.

— Grâce à toi, Laura, je suis sûre de réussir

l'examen d'entrée. Tu m'as tellement aidée, dit Marie. Tu as révisé toutes tes leçons avec moi jusqu'à ce que je les sache par cœur. Mais Laura, que vas-tu faire? Papa a dépensé tant d'argent pour moi, la malle, un nouveau manteau, une nouvelle paire de chaussures, les billets de train et tout le reste. Cela me tourmente. Comment arrivera-t-il à acheter des livres de classe et des vêtements pour Carrie et pour toi?

— Ne te tourmente pas. Papa et Maman se débrouilleront, dit Laura. Tu sais bien qu'ils trouvent toujours une solution.

De bonne heure le lendemain matin, avant même que Laura fût habillée, Maman ébouillanta et pluma les merles que Papa avait tués. Elle les fit frire après le petit déjeuner et dès qu'ils furent refroidis, elle les enveloppa dans une boîte à chaussures. Ce serait leur déjeuner froid dans le train.

Papa, Maman et Marie avaient pris un bain, la veille. Maintenant, Marie enfilait la plus belle de ses anciennes robes de calicot et sa deuxième meilleure paire de chaussures. Maman revêtit sa robe d'été en chalys et Papa son costume du dimanche. Un jeune garçon de leurs voisins avait accepté de les conduire à la gare. Papa et Maman seraient absents toute une semaine et quand ils reviendraient, ils pourraient parcourir à pied le trajet de la gare à la maison.

Le garçon arriva sur son chariot. Il avait des taches de rousseur et des cheveux roux dont une mèche rebelle pointait à travers une déchirure de son chapeau de paille. Il aida Papa à charger la malle de Marie dans le chariot. Le soleil était déjà chaud et le vent soufflait.

— Ecoutez-moi bien, Carrie et Grace. Soyez sages et obéissez à Laura, recommanda Maman. Laura, n'oublie pas de garder l'eau des poules propre et fraîche. Fais bien attention aux faucons et souviens-toi de stériliser les pots à lait à l'eau bouillante et de les faire sécher au soleil.

— Oui, Maman, répondirent-elles.

— Au revoir, dit Marie. Au revoir, Laura. Au revoir, Carrie et Grace.

— Au revoir, arrivèrent à dire Laura et Carrie.

Grace sans mot dire ouvrait de grands yeux. Papa aida Marie à grimper par-dessus la roue du chariot pour prendre place sur le siège de devant avec Maman et le jeune garçon. Papa s'assit derrière sur la malle.

— Bon, allons-y, dit Papa. Au revoir, les filles.

Le chariot démarra. Grace ouvrit la bouche toute grande et se mit à pleurer.

— Grace, tu n'as pas *honte?* Tais-toi! Une grande fille comme toi, *pleurer!* la rembarra Laura.

Mais Laura avait la gorge nouée et elle devait faire tous ses efforts pour refouler ses sanglots. Carrie aussi paraissait prête à fondre en larmes.

— N'as-tu pas *honte?* répéta Laura à l'adresse de Grace.

Et Grace ravala son chagrin.

Ni Papa ni Maman ni Marie ne se retournèrent. Ils ne devaient pas faire demi-tour. Le chariot les emporta et laissa le silence derrière lui. Laura n'avait jamais connu un silence pareil. Il n'avait rien du calme paisible de la Prairie et l'étreignait au plus profond d'elle-même.

— Venez, dit-elle. Rentrons à la maison.

Le silence avait gagné la maison également. Il était si profond que tout d'abord Laura n'osa pas parler à voix haute. Grace réprimait son envie de pleurer. Dans leur propre maison, elles ressentirent douloureusement la solitude et l'abandon dans lesquels les jetait le départ de Marie.

Grace recommença à pleurer et deux grosses larmes perlèrent au bord des yeux de Carrie. Mais pleurer ne changerait rien. A partir de cet instant et pendant une semaine entière, Laura devait tout prendre en main. Maman comptait sur elle et il ne fallait pas la décevoir.

— Ecoutez-moi, Carrie et Grace, dit Laura d'un air résolu. Nous allons nettoyer cette maison de fond en comble et nous allons

commencer tout de suite! Quand Maman ren-
trera à la maison, le grand nettoyage d'automne
sera fait.

De toute sa vie, Laura ne se souvenait pas

151

d'avoir vécu des journées aussi chargées. Le travail entrepris n'était pas si facile non plus. Jusqu'à présent, Laura n'avait jamais réalisé à quel point une courtepointe pesait lourd quand il fallait la soulever du bac, dégouttante d'eau, pour l'essorer et l'étendre sur une corde. Elle n'avait jamais imaginé non plus comme il pouvait s'avérer difficile parfois de ne pas en vouloir à Grace qui, malgré toute sa bonne volonté pour aider, donnait encore plus de travail. Il était surtout tout à fait étonnant de constater la rapidité avec laquelle la maison devint sale alors même qu'elles s'acharnaient à la nettoyer. Plus elles se donnaient de mal, plus le désordre s'installait.

Le jour le plus pénible, il faisait une chaleur torride. Laura et Carrie avaient tiré laborieusement les paillasses dehors où elles les avaient vidées et lavées. Une fois sèches, elles les avaient remplies de foin frais. Ensuite, elles avaient retiré les sommiers des châlits pour les adosser contre les murs et Laura s'était pincé le doigt. Pour le moment, Laura et Carrie démontaient les châlits en tirant chacune d'un côté. Laura reçut la tête de lit sur le crâne et vit trente-six chandelles.

— Oh, Laura, tu t'es fait mal? s'écria Carrie.

— Non, non, pas trop, répondit Laura.

Elle poussa la tête de lit contre le mur d'où il

glissa en heurtant douloureusement sa cheville.

— Aïe! ne put-elle s'empêcher de crier.

Puis Laura ajouta :

— Laissons-le par terre. Cela vaut mieux.

— Nous devons frotter le plancher, fit remarquer Carrie.

— Je sais, dit Laura, sans enthousiasme.

Elle s'assit sur le plancher et se frotta la cheville. Ses cheveux dépeignés se collèrent sur son cou en nage. Sa robe sale et trempée de sueur collait à sa peau et ses ongles étaient carrément noirs. Le visage de Carrie était moite de sueur et plein de poussière et des brins de foin pendaient dans ses cheveux.

— Nous devrions prendre un bain, murmura Laura.

Puis, soudain, elle s'écria :

— *Mais où est Grace?*

Laura et Carrie avaient oublié Grace depuis un petit moment déjà. Une fois, Grace s'était perdue dans la Prairie[1]. Elles connaissaient aussi l'histoire de deux enfants de Brookins qui, après s'être perdus dans la Prairie, étaient morts de faim avant que l'on ne les retrouvât.

— Je suis-z-ici, répondit Grace gentiment en entrant dans la pièce. Il pleut.

— Non! s'exclama Laura.

1. *La petite maison dans la Prairie,* tome 3.

Mais en effet, une ombre passa au-dessus de la maison. De grosses gouttes de pluie tombaient déjà. On entendit un coup de tonnerre.

— Carrie! s'écria Laura. Les paillasses! La literie!

Elles prirent leurs jambes à leur cou. Les paillasses ne pesaient pas très lourd mais elles étaient très encombrantes et n'offraient pas de prise. Laura et Carrie sentaient le bout qu'elles tenaient leur glisser des mains. Une fois la paillasse amenée sur le seuil de la maison, il fallut la redresser pour passer l'encadrement de la porte.

— Nous pouvons la maintenir en l'air ou la bouger mais pas les deux à la fois, dit Carrie, essoufflée.

Déjà, l'orage grondait au-dessus de la maison et la pluie tombait.

— Pousse-toi, Carrie, cria Laura.

Et tant bien que mal, elle réussit à rentrer la paillasse bourrée de foin à l'intérieur de la maison. Mais il était trop tard pour rapporter l'autre et la literie. Il pleuvait à verse.

La literie sècherait sur les cordes mais il faudrait vider une nouvelle fois la paillasse restée dehors, la relaver et la remplir à nouveau de foin sec. Les enveloppes à matelas et le foin devaient être parfaitement secs si on ne voulait pas qu'une odeur de moisi s'en dégageât.

154

— Nous pouvons mettre tous les meubles de l'autre chambre dans la pièce de devant et commencer à la nettoyer, proposa Laura.

Aussitôt dit, aussitôt fait. Pendant quelque temps on n'entendit que le tonnerre et la pluie, le frottement des serpillières sur le plancher et l'essorage des toiles mouillées. Laura et Carrie, à genoux, avaient déjà récuré la moitié du plancher de la chambre quand Grace les interpella joyeusement :

— Je vous aide !

Grimpée sur une chaise, Grace cirait le fourneau. Elle était noire de pâte à noircir de la tête aux pieds. Des taches noires parsemaient le plancher tout autour. Grace avait rempli d'eau la boîte de pâte à noircir. La mine réjouie, elle chercha l'approbation de Laura et fit tomber la boîte de pâte à noircir posée sur le fourneau en donnant un coup de chiffon maladroit.

Ses yeux bleus se remplirent de larmes.

Laura jeta un regard exténué sur le désordre de cette maison que Maman avait laissée si ordonnée et si pimpante.

— Cela ne fait rien, Grace. Ne pleure pas, je nettoierai, se contenta de dire Laura.

Puis, elle se laissa tomber sur les morceaux des châlits démontés, le front enfoui sur ses genoux remontés sous elle.

— Oh, Carrie, je ne sais pas comment nous

pourrons nous en sortir toutes seules, dit-elle, au bord des larmes.

Cette journée fut la plus difficile. Le vendredi, la maison n'était pas encore tout à fait en ordre et Laura et Carrie espérèrent que Maman ne rentrerait pas plus tôt que prévu. Ce jour-là, elles travaillèrent jusqu'à une heure avancée de la nuit et le samedi, il n'était pas loin de minuit quand elles prirent leur bain avant de s'endormir enfin, mortes de sommeil. Mais le dimanche, la maison était impeccable.

Autour du fourneau, le plancher avait été récuré à fond et il ne restait plus que quelques traces discrètes des éclaboussures de pâte à noircir. Les lits étaient faits avec des courtepointes lavées de frais et des paillasses sentant bon le foin frais. Les carreaux des fenêtres étincelaient. Les étagères du placard étaient nettoyées et toute la vaisselle lavée.

— A partir de maintenant, nous mangerons du pain et nous boirons du lait pour *ne pas salir* les assiettes! décida Laura.

Il n'y avait plus que les rideaux à laver et à repasser avant de les pendre et, bien sûr, la lessive courante du lundi. Elle se réjouissaient que le dimanche fût un jour de repos.

Le lundi matin de bonne heure, Laura lava les rideaux. Quand elle étendit avec Carrie le reste de la lessive sur les cordes à linge, ils étaient déjà secs. Elles les amidonnèrent, les repassèrent et les pendirent aux fenêtres. La maison reluisait de propreté.

— Emmenons Grace dehors pour attendre Papa et Maman, souffla discrètement Laura à l'oreille de Carrie.

Ni l'une ni l'autre ne se sentait l'envie de faire une promenade. Elles s'assirent donc sur l'herbe à l'ombre de la maison et, tout en cherchant à apercevoir la fumée du train, surveillèrent Grace qui gambadait.

Elles aperçurent enfin les grosses bouffées noires qui roulaient au-dessus de la Prairie et s'estompèrent lentement à la hauteur de la ligne d'horizon comme une phrase d'une langue inconnue. Elles entendirent le train siffler une première fois puis une seconde fois et le ruban de fumée se remit à écrire son message mystérieux au-dessus de l'horizon. Elles allaient se résoudre à ne plus attendre Papa et Maman pour ce jour-là, quand elles les aperçurent, tout petits au bout de la route qui venait de la ville.

Alors l'absence de Marie leur revint à la mémoire aussi douloureusement qu'au premier jour.

Laura, Carrie et Grace rejoignirent Papa et Maman à la limite du Grand Marais et pendant un moment, tout le monde parla en même temps.

Papa et Maman étaient très satisfaits du collège. Ils racontèrent que c'était un grand bâtiment en brique de belle apparence où Marie passerait l'hiver bien au chaud et confortablement installée. La nourriture était bonne et ses camarades très sympathiques. Maman avait beaucoup aimé la compagnie de chambre de Marie. Les professeurs étaient gentils. Marie avait passé avec succès son examen d'entrée. Maman n'avait pas remarqué de jeune fille plus élégante que Marie. On lui enseignerait l'économie politique, la littérature, les mathématiques, la couture, le tricot et l'art de fabriquer des ouvrages en perles sans oublier la musique car le collège possédait un harmonium.

Ces bonnes nouvelles mettaient tant de joie dans le cœur de Laura qu'elle oubliait presque sa propre solitude causée par l'absence de Marie. A présent, Marie pourrait enfin assouvir sa soif insatiable d'apprendre!

« Marie doit rester là-bas, il le *faut* », pensa Laura et elle se rappela la résolution qu'elle avait prise. Malgré son peu de goût pour le travail scolaire, elle devait étudier avec ardeur afin d'obtenir son diplôme d'institutrice dès ses seize ans. Ainsi elle gagnerait l'argent nécessaire à la poursuite des études de Marie au collège.

Laura avait oublié la semaine passée à tout nettoyer qui venait de s'écouler mais comme ils approchaient de la maison, Maman demanda :

— Pourquoi vous trémoussez-vous ainsi, Carrie et Grace? Avez-vous un secret qui vous démange la langue?

Alors Grace sauta sur place en criant :

— J'ai ciré le fourneau!

— Vraiment, dit Maman en pénétrant dans la maison. En effet, il est très beau, mais je suis sûre que Laura t'a aidée, Grace. Tu ne dois pas dire...

A ce moment, Maman aperçut les rideaux.

— Oh, Laura! s'exclama-t-elle. Tu as lavé les... et les fenêtres... et... Eh bien, quelle surprise!

— Nous avons fait le nettoyage d'automne, Maman, expliqua Laura.

Carrie ajouta :

— Nous avons lavé la literie, rempli les paillasses de foin frais, frotté les planchers et tout le reste.

Maman leva les bras au ciel de surprise puis elle se laissa tomber sur une chaise.

— Seigneur!

Le jour suivant, Maman déballa sa valise et elle sortit de sa chambre avec trois petits paquets plats qu'elle distribua entre Laura, Carrie et Grace.

Grace découvrit un livre d'images en couleur. Chaque image en papier lustré était collée sur les pages en tissu aux jolis coloris et chaque feuille était dentelée.

Le paquet de Laura renfermait un joli petit livre également. Il était mince et plus large que haut. Sur sa couverture rouge on pouvait lire en lettres dorées :

ALBUM D'AUTOGRAPHES

Les pages de différentes couleurs pastel étaient vierges. Carrie reçut pour elle un album identique sinon la couleur bleue et or.

— Ces albums d'autographes sont le dernier cri aujourd'hui, dit Maman. Toutes les jeunes filles élégantes de Vinton en ont un.

— Qu'est-ce que c'est exactement ? demanda Laura.

— Eh bien, tu demandes à une amie d'écrire quelques vers sur l'une des pages et de signer. Si elle a aussi un album d'autographes, tu fais la même chose dans le sien. On garde précieusement les albums en souvenir.

— Avec mon album, je redoute moins la rentrée des classes, dit Carrie. Je le montrerai aux autres élèves et si je les trouve gentilles, je leur demanderai d'écrire quelque chose dedans.

Maman était heureuse du plaisir de Laura et de Carrie.

— Votre Papa et moi tenions absolument à rapporter à nos filles un souvenir de Vinton et de l'Iowa où dorénavant Marie va vivre.

Mlle WILDER,
LA NOUVELLE INSTITUTRICE

Le jour de la rentrée des classes, Laura et
Carrie se mirent en route de bon matin. Elles
portaient leur plus belle robe de calicot à fleurs
car Maman avait dit que de toute façon elles
grandiraient d'ici l'été prochain et ne pourraient
plus les mettre. En plus de ses livres de classe
sous le bras, Laura portait à la main le seau en
fer-blanc qui contenait leur déjeuner froid.

Malgré les premiers rayons du soleil, on
sentait encore la fraîcheur de la nuit. Sous le ciel
haut et bleu, les verts de la Prairie se fondaient

en couleurs fauves et mauves. Un vent léger soufflait, parfumé par l'odeur des herbes jaunissant et la forte senteur des tournesols sauvages.

Le long de la route, les fleurs jaune d'or oscillaient doucement et le mince filet d'herbe au milieu du chemin frôlait avec un léger bruissement le seau en fer-blanc. Laura et Carrie suivaient chacune un sillon tracé par la roue d'un chariot.

— J'espère que Mlle Wilder sera une bonne institutrice, dit Carrie. Qu'en penses-tu, Laura?

— Papa ne doit pas en douter puisqu'il fait partie du Conseil de l'école. A moins qu'on ait accepté sa candidature simplement parce qu'elle est la sœur des Wilder. Oh, Carrie, tu te souviens des magnifiques chevaux *Morgan?*

— Ce n'est pas parce que son frère possède de si jolis chevaux qu'elle sera forcément sympathique, répondit Carrie. Nous verrons bien.

— En tout cas, Mlle Wilder devrait être compétente. Elle a un diplôme, dit Laura.

Laura pensa qu'il lui fallait obtenir elle aussi le diplôme d'institutrice et à l'idée des heures studieuses qui l'attendaient, elle soupira.

La Grand'rue s'allongeait. Une nouvelle écurie de louage se dressait sur le même trottoir que la maison de Papa, en face de la banque. Un nouveau silo à grains surplombait l'extrémité de la rue, de l'autre côté de la voie ferrée.

— Pourquoi y a-t-il tout cet espace vide entre l'écurie de louage et l'étable de Papa? s'étonna Carrie.

Laura ne savait pas mais quoiqu'il en fût, cet empiètement de la Prairie sur la ville lui plaisait. Papa avait dressé les meules de foin autour de son étable. Ainsi, cet hiver, il n'aurait pas à faire le trajet jusqu'à la concession pour rapporter du foin.

Laura et Carrie obliquèrent vers l'ouest en s'engageant dans la Deuxième rue. Au-delà de l'école, de nouvelles petites maisons en bois s'étaient construites ici et là. On entendait le vacarme d'un moulin en fonctionnement près de la voie de chemin de fer et de l'autre côté des lots à bâtir, entre la Deuxième et la Troisième rue, on apercevait la charpente de la nouvelle église. Des hommes travaillaient à sa construction. Parmi la foule des élèves rassemblés près de la porte de l'école, un grand nombre de visages leur étaient inconnus.

Carrie eut un mouvement de recul et Laura sentit son courage faiblir, mais elle se devait de donner l'exemple à sa petite sœur et poursuivit bravement. Les mains moites, Laura avança sous tous les regards posés sur elle. Il y avait bien une vingtaine de filles et de garçons.

S'enhardissant, Laura marcha vers eux au côté de Carrie. Les garçons et les filles formaient deux groupes distincts légèrement en retrait l'un de l'autre. S'approcher jusqu'au seuil de l'école semblait une épreuve insurmontable.

Mais tout à coup, Laura reconnut Marie Power et Minnie Johnson, debout sur les marches. Elle les connaissait bien pour avoir été à l'école avec elles l'automne dernier, avant l'arrivée des blizzards.

— Bonjour, Laura Ingalls! s'écria Marie Power à l'adresse de Laura.

Ses yeux noirs pétillèrent de joie en reconnaissant Laura et le visage plein de taches de rousseur de Minnie Johnson s'éclaira. Laura se sentit aussitôt rassurée et elle prit conscience de l'affection sincère qui la liait à Marie Power.

— Nous avons déjà choisi nos places, dit Minnie. Nous nous assiérons l'une à côté de l'autre. Tu pourrais t'asseoir à côté de nous, Laura, juste de l'autre côté de l'allée.

Elles entrèrent dans la salle de classe. Marie et Minnie avaient posé leurs livres sur le pupitre du fond situé le long du mur, du côté des filles. Laura mis ses livres sur le pupitre voisin du leur, de l'autre côté de l'allée. Ces places au fond de la classe étaient les meilleures. Carrie devait s'asseoir dans les premiers rangs avec les élèves plus jeunes.

Mlle Wilder, la cloche de l'école à la main, vint à leur rencontre. Elle avait les cheveux noirs, des yeux gris et un air engageant. Elle portait une robe gris foncé qui ressemblait à la plus belle robe de Marie, moulante et droite sur le devant avec un froncis ornant le bas de la jupe remontée en un beau drapé qui bouffait au-dessus d'une courte traîne.

— Alors, vous avez déjà choisi vos places? leur dit-elle d'un air amusé.

— Oui, Madame, dit Minnie Johnson en rougissant.

Mais Marie Power sourit et ajouta :

— Je m'appelle Marie Power et voici Minnie Johnson et Laura Ingalls. Nous aimerions garder ces places, si vous le permettez. Nous sommes les plus grandes filles de l'école.

— Bon, c'est entendu, décida Mlle Wilder, en souriant gentiment.

Elle se dirigea vers la porte et sonna la fin de la récréation. Les élèves entrèrent en rangs serrés. Presque toutes les places se trouvèrent occupées. Du côté des filles, il ne restait plus qu'un pupitre de libre. Du côté des garçons, tous les bancs du fond restaient vides car les grands ne reprendraient pas l'école avant l'hiver. Ils travaillaient encore dans les champs.

Laura vit que Carrie était par chance assise près de Mamie Beardsley, dans les premiers rangs réservés aux plus jeunes. Puis soudain, Laura aperçut une nouvelle qui hésitait dans

165

l'allée. On lui donnait à peu près le même âge que Laura et elle paraissait tout aussi timide. Elle était petite et menue avec de grands yeux bruns et doux et un petit visage rond. Ses cheveux noirs ondulaient gracieusement et les courtes mèches bouclées de sa frange garnissaient son front. Les joues rouges d'embarras, elle lança un regard timide vers Laura.

A moins que Laura ne l'acceptât comme voisine, il lui faudrait s'asseoir seule au pupitre resté inoccupé.

Laura lui sourit amicalement en donnant une petite tape sur le siège à côté d'elle. Les grands yeux bruns de la nouvelle s'éclairèrent. Elle posa ses livres sur le pupitre et s'assit près de Laura.

Quand Mlle Wilder eut ramené le silence dans la classe, elle prit le cahier d'appel et alla de pupitre en pupitre pour inscrire le nom des élèves. La voisine de Laura dit que son nom était Ida Wright mais qu'on l'appelait Ida Brown. C'était la fille adoptive du Révérend Brown et de sa femme, Mme Brown.

Le Révérend Brown était le nouveau pasteur congrégationniste qui venait de s'installer en ville. Laura savait que Papa et Maman n'aimaient pas beaucoup ce dernier mais Ida lui plut tout de suite.

Mlle Wilder avait reposé le cahier d'appel sur son bureau et elle s'apprêtait à commencer la classe quand la porte s'ouvrit. Toutes les têtes se tournèrent pour voir qui arrivait en retard le jour de la rentrée.

Laura n'arriva pas à en croire ses yeux. La fille qui entrait n'était autre que Nelly Oleson [1] dont elle avait fait connaissance à l'époque où ils habitaient sur les bords du ruisseau Plum, dans le Minnesota.

Nelly avait grandi. Elle était plus grande que Laura, à présent, et beaucoup plus mince. Elle avait une silhouette élancée alors que Laura avait gardé des rondeurs de petite fille. Pourtant, bien qu'elle l'eût perdu de vue depuis deux ans, Laura la reconnut tout de suite. Laura ne pouvait pas oublier l'air dédaigneux de son nez retroussé, ses petits yeux rapprochés et la moue pleine de mépris de ses lèvres pincées.

Autrefois, Nelly s'était moquée de Laura et de Maman parce qu'elles habitaient à la campagne alors que son père tenait un magasin en ville. Elle avait parlé à Maman sur un ton insolent et elle avait repoussé Jack, le fidèle chien de Laura qui était mort, à présent.

Nelly était arrivée en retard à l'école mais elle ne semblait pas s'en soucier et l'air hautain, elle restait debout à regarder autour d'elle comme si la classe n'était pas assez bien pour sa personne.

1. *La petite maison dans la Prairie,* tome 2.

Elle portait une robe de couleur fauve bordée dans le bas par des froncis qui se retrouvaient autour de son col et au bas de ses larges manches. Un jabot de dentelle agrémentait le haut de son corsage. Ses cheveux blonds et raides étaient tirés et ramassés en arrière en un haut chignon torsadé. Elle tenait la tête droite et prenait de grands airs.

— Je voudrais m'asseoir au fond de la classe, dit-elle à Mlle Wilder.

Et sur ce, Nelly lança un regard à Laura qui signifiait : « Va-t'en et laisse-moi ta place. »

Ostensiblement, Laura se carra sur son banc et soutint hardiment son regard.

Tous les élèves regardaient Mlle Wilder pour voir ce qu'elle allait décider. Celle-ci toussa nerveusement. Laura continuait à fixer Nelly qui finit par baisser les yeux. Elle porta son regard sur Minie Johnson en disant avec un geste du menton dans sa direction :

— Cette place me convient parfaitement.

— Voulez-vous laisser votre place, Minnie? demanda Mlle Wilder.

Mlle Wilder avait pourtant promis quelques minutes auparavant que Minnie pourrait garder cette place.

Lentement, Minnie répondit :

— Oui, Madame.

Minnie ramassa ses livres sans se presser et se

168

dirigea jusqu'au bureau vide. Marie Power ne bougea pas et Nelly qui ne voulait pas faire le tour du bureau pour occuper la place que Minnie laissait libre, attendait debout dans l'allée.

— Eh bien, Marie, dit Mlle Wilder, vous pourriez vous pousser un peu pour laisser votre nouvelle compagne s'asseoir. Nous n'attendons plus que vous pour commencer la classe.

Marie se leva.

— Je vais avec Minnie, dit-elle sèchement. Je préfère cela.

Nelly s'assit avec un sourire de contentement sur les lèvres. Elle avait la meilleure place de la salle de classe et un pupitre pour elle seule.

Ce ne fut pas sans un malin plaisir que Laura entendit Nelly dire à Mlle Wilder qui inscrivait son nom dans le cahier d'appel que son père habitait sur une concession au nord de la ville. Ainsi, Nelly était aussi une fille de la campagne, désormais! Alors soudain, Laura se rappela qu'ils habiteraient en ville, cet hiver; Carrie et Laura seraient des citadines!

Mlle Wilder frappa avec la règle sur son bureau et dit :

— Je vous demande toute votre attention!

Et elle fit un petit discours sans se départir de son sourire.

— Nous voici prêts à commencer une nouvelle année scolaire et nous allons faire de notre mieux pour obtenir de bons résultats. Vous savez que vous venez à l'école pour apprendre le plus de choses possible et que je suis là pour vous aider. Vous ne devez pas me considérer comme un professeur mais comme une amie. Je ne doute pas du reste que nous deviendrons les meilleurs amis du monde.

Les petits garçons se tortillaient sur leurs bancs et Laura avait envie de les imiter car le

170

sourire continuel de Mlle Wilder la rendait mal à l'aise.

Laura souhaitait que Mlle Wilder se tût mais cette dernière poursuivit de sa voix caressante.

— Nous serons tous sans exception gentils et généreux, n'est-ce pas? Je suis sûre que personne ne se montrera indiscipliné et ainsi, il ne sera jamais question de punitions dans notre joyeuse école. Nous nous aimerons les uns les autres et nous nous entraiderons.

Puis enfin, Mlle Wilder déclara :

— Vous pouvez prendre vos livres.

Ce matin-là, personne ne récita car Mlle Wilder s'occupa de grouper les élèves selon leur niveau. Laura et Ida, Marie Power, Minnie et Nelly Oleson feraient partie du groupe le plus avancé de la classe tant que les grands garçons ne reprendraient pas l'école.

A la récréation, les élèves restèrent par groupes à lier connaissance. Ida se révéla aussi chaleureuse et sympathique qu'elle le paraissait.

— Je suis une enfant adoptée, expliqua-t-elle. Mère Brown m'a fait sortir d'un orphelinat. Elle devait m'aimer pour faire cela, n'est-ce pas?

— Bien sûr. Comment aurait-elle pu ne pas t'aimer en te voyant?

Laura imaginait quel ravissant bébé Ida avait dû être, avec ses boucles brunes et ses grands yeux bruns rieurs.

Mais Nelly réclama toute l'attention des autres.

— Je me demande vraiment si nous arriverons à nous plaire, ici, dit-elle. Nous venons de l'Est. Nous n'avons pas l'habitude de ces régions si inhospitalières ni de côtoyer des rustres.

— Mais tu viens du Minnesota, du même endroit que nous, la contredit Laura.

— Oh, ça! dit Nelly en balayant d'un geste de la main ce souvenir. Nous n'y avons fait qu'un court séjour. En fait, nous venons de l'Etat de New York.

— Nous venons tous de l'Est, lui dit Marie Power sèchement. Venez, allons dehors, au soleil.

— Mon Dieu, non! Quelle horreur! s'écria Nelly. Ce vent tanne la peau.

A part Nelly, elles avaient toutes le visage hâlé par le soleil et le grand air.

— Il se peut que je doive vivre quelque temps dans cette région sauvage, mais en tout cas, je prendrai garde de ne pas abîmer mon teint, poursuivit Nelly. Dans l'Est, les femmes élégantes ont la peau blanche et les mains douces.

Les mains de Nelly étaient blanches et fines.

De toute façon, il n'était plus temps de sortir dehors. La récréation était terminée. Mlle Wilder alla sur le pas de la porte et agita la cloche.

A la maison, ce soir-là, Carrie raconta en détails sa première journée d'école. Papa lui dit qu'elle était bavarde comme une véritable pie.

— Laisse un peu parler Laura, dit-il. Pourquoi restes-tu si silencieuse, Laura? Quelque chose ne va pas?

Alors Laura raconta l'arrivée de Nelly Oleson à l'école et tous ses faits et gestes.

— Mlle Wilder n'aurait pas dû accepter qu'elle prenne la place de Minnie et de Marie Power, conclut-elle enfin.

— Tu ne dois pas critiquer un professeur, Laura, lui rappela gentiment Maman.

Laura sentit le rouge lui monter aux joues. Elle savait bien quelle chance inespérée c'était d'aller à l'école. Mlle Wilder était là pour l'aider dans ses études et Laura devait se montrer reconnaissante à son égard au lieu de la critiquer avec impertinence. Laura devait avant tout se montrer une élève sage et studieuse. Pourtant elle ne pouvait s'empêcher de penser que Mlle Wilder avait mal agi. Ce n'était pas juste!

— Ainsi, les Oleson viennent de l'Etat de New York, dit Papa d'un air amusé. Il n'y a pas de quoi se vanter.

Laura se souvint alors que Papa avait vécu dans l'Etat de New York quand il était jeune.

Papa poursuivit :

— Je ne sais pas pour quelle raison, mais Oleson a perdu tout ce qu'il possédait dans le Minnesota. Il n'a plus rien au monde à part sa concession et on m'a dit qu'il n'arriverait pas à faire vivre sa famille jusqu'aux prochaines récoltes s'il ne recevait de l'argent de sa famille restée dans l'Est. En se vantant, Nelly cherche peut-être à se défendre des attaques contre sa famille. Tu ne devrais pas le prendre à cœur, Laura.

— Mais elle a de si jolis vêtements, protesta Laura. Et elle ne doit pas faire de travail manuel car ses mains sont aussi blanches que son visage.

— Rien ne t'empêche de mettre ta capeline, Laura, dit Maman. Quant à ses jolis vêtements, ce sont certainement des cadeaux envoyés par d'autres paroisses. Et puis Nelly est peut-être comme la jeune fille de la chanson qui était si jolie « avec sa double collerette de dentelle mais allait nu-pieds ».

Laura pensa qu'elle aurait dû plaindre le sort de Nelly et pourtant elle n'y parvenait pas. Elle souhaitait que Nelly n'eût pas quitté les bords du ruisseau Plum.

Papa se leva de table et tira une chaise près de la porte ouverte.

— Apporte-moi le violon, Laura, dit-il. Je vais essayer de retrouver l'air d'une chanson que j'ai entendue l'autre jour sifflée par quelqu'un. Je crois que le violon rendra beaucoup mieux.

Laura et Carrie lavèrent la vaisselle doucement, attentives à ne pas perdre une seule note

174

de musique. Le chant clair du violon accompagna la voix basse et nostalgique de Papa.

> « *Rejoins-moi! Oh, rejoins-moi,*
> *Quand tu entends dans le vent*
> *Le premier appel de l'engoulevent... »*

« Engoulevent », chantait le violon d'un son flûté et palpitant comme la gorge d'un oiseau. « Engoulevent », répondait le violon, proche et suppliant puis plus lointain et étouffé. « Engoulevent » chantaient les cordes jusqu'à remplir le crépuscule des appels enjôleurs des oiseaux.

Les pensées de Laura libérées peu à peu de leur ressentiment s'apaisèrent enfin.

« Je serai gentille », se promit-elle. « Peu importe que Nelly Oleson soit si détestable, je serai gentille. »

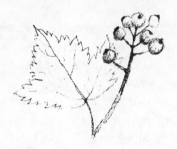

CHAPITRE 12

UNE MAISON DOUILLETTE POUR L'HIVER

Tout au long de cet automne clément, Laura et Carrie ne manquèrent pas d'occupations. Le matin, elles aidaient à s'occuper des bêtes et préparaient le petit déjeuner. Ensuite, elles mettaient leur repas froid du midi dans le seau et une fois habillées pour l'école, elles prenaient sans tarder le chemin qui conduisait à la ville. Après l'école, elles rentraient en hâte à la maison où d'autres tâches les attendaient avant la tombée de la nuit.

Un samedi, on se prépara pour le déménagement en ville et toute la journée, chacun fut très affairé.

Laura et Carrie ramassèrent des pommes de terre tandis que Papa les déterrait. Elles coupèrent les têtes des navets et aidèrent Papa à les empiler dans le chariot. Elles arrachèrent et pincèrent les carottes, les betteraves et les oignons puis rassemblèrent les tomates et les coquerets.

Les coquerets poussaient sur de bas buissons touffus. Les calices à six coins d'un gris pâle et plus minces que du papier pendaient en touffes serrées sur les tiges, au-dessous des larges feuilles. A l'intérieur de chaque calice, il y avait un fruit rond, juteux, doré et renflé.

Les tomates fraise étaient recouvertes d'une douce enveloppe d'un brun mat. En l'ouvrant, on découvrait une tomate ronde de couleur pourpre plus grosse que les coquerets mais beaucoup plus petite que les tomates rouges étalant au grand jour leur rondeur écarlate.

Toute cette journée, pendant que les filles étaient à l'école, Maman fit des conserves de tomates, de tomates fraise et de coquerets. Elle prépara également des condiments avec les tomates vertes qui n'auraient pas le temps de mûrir avant les premières gelées. Une odeur sirupeuse et épicée remplit toute la maison.

— Nous emporterons nos provisions en ville,

cette fois, se réjouit Papa. Nous ne devons plus tarder, je ne tiens pas à affronter un blizzard d'octobre dans cette petite maison mal calfeutrée.

— Cet hiver ne sera pas aussi rigoureux que celui de l'année dernière, dit Laura. Le temps est très différent.

— C'est vrai, reconnut Papa. Ce n'est pas cet hiver ni même avant plusieurs années que nous connaîtrons un temps aussi rude que celui de l'an passé mais je veux être prêt quand le moment arrivera.

Papa charria en ville la paille d'avoine et les tiges de maïs qu'il mis en tas près des meules de foin. Il transporta les pommes de terre, les navets, les betteraves et les carottes et les entreposa dans le cellier de la maison. Puis, un lundi soir, Laura et Carrie s'activèrent jusqu'à une heure avancée de la nuit pour aider Maman à empaqueter les vêtements, les couverts et les livres.

A cette occasion, Laura découvrit un secret. A genoux devant la commode de Maman, elle vidait le tiroir du bas des sous-vêtements d'hiver quand, sous les flanelles rouges, sa main toucha quelque chose de dur. Laura s'en saisit et sortit un livre.

C'était un livre tout neuf magnifiquement relié en toile verte avec un motif doré. La

tranche rectiligne des pages lisses imitait l'or.
Sur la couverture, des lettres gracieuses dispo-
sées en arrondi formaient les mots suivants :

Poèmes de Tennyson

La découverte de ce livre si somptueux et si
beau enfoui au milieu des flanelles surprit Laura
à tel point qu'elle faillit le laisser tomber. Le
livre glissa de ses mains sur ses genoux et le
regard de Laura tomba sur la page à laquelle
il s'était ouvert. A la lueur de la lampe, les
pages intactes, joliment imprimées offraient leur
attrayant mystère. Un filet rouge encadrait les
poèmes comme de précieux trésors et délimitait
des marges parfaites.

Au bas de la page de gauche, on pouvait lire :

« LES MANGEURS DE LOTUS »,
imprimés en caractères plus gros.

Le mot : « Courage! » suivait immédiatement,
et Laura, haletant d'impatience, lut :

« " *Courage! dit-il, et il montra la terre,*
Cette vague montante, bientôt, nous portera au
rivage. "
L'après-midi, ils atteignirent une contrée

Où il semblait qu'il fût toujours après-midi.
Tout autour de la côte, la brise languissante
défaillait
Comme le souffle d'un dormeur que hante un rêve
las.
Toute ronde, au-dessus de la vallée, se tenait la
lune ;
Et, telle une... [1] »

Soudain, à la pensée de ce qu'elle était en train de faire, Laura s'arrêta. Maman avait probablement caché ce livre et Laura n'avait pas le droit de le lire. Elle s'empressa de fermer les yeux et referma le livre. Il lui fallut beaucoup de courage pour s'arrêter ainsi au beau milieu d'un vers mais la conscience de Laura lui interdisait de céder à la tentation de connaître la suite.

Laura remit le livre à sa place, parmi les flanelles rouges. Elle rangea les sous-vêtements dans le tiroir, le referma et ouvrit celui du dessus. Puis, elle réfléchit à ce qu'elle allait faire.

Laura devait avouer à Maman la découverte du livre mais d'un autre côté, Maman le gardait certainement caché pour en faire la surprise à quelqu'un. Ses pensées se succédaient rapidement et son cœur battait très fort à l'idée que Papa et Maman avaient dû acheter ce livre dans

1. Traduction de Madeleine L. Cazamian extraite de : *Les mangeurs de lotus*, éditions Aubier Montaigne.

l'Iowa, à Vinton, et qu'il s'agissait probablement
d'un cadeau de Noël. Un livre si beau et si
luxueux, de plus un livre de poèmes devait être
destiné à Laura puisqu'elle restait la plus âgée
des filles, à présent; c'était certainement son
cadeau de Noël!

Si Laura en parlait, Maman et Papa seraient
déçus et cela gâcherait le plaisir qu'ils devaient
attendre de la surprise de Laura.

Laura n'avait découvert ce livre que depuis

peu, pourtant il lui semblait qu'il s'était écoulé beaucoup de temps. Maman entra précipitamment dans la pièce en disant :

— Je finirai moi-même, Laura. Tu peux aller te coucher, il se fait tard.

— Oui, Maman, dit Laura.

Laura comprit que Maman craignait qu'elle ne découvrît le livre dissimulé dans le dernier tiroir. Laura n'avait jamais eu de secret pour Maman mais cette fois-ci, elle garda le silence.

Le lendemain, après l'école, Laura et Carrie ne prirent pas le chemin vers la concession. Elles se rendirent directement à la maison de Papa située au coin de la Deuxième rue et de la Grand'rue. Papa et Maman avaient déménagé en vue de passer l'hiver en ville.

Dans la cuisine, le fourneau et le placard étaient déjà installés. Au premier étage, les châlits reposaient sous le toit en pente, avec leurs épaisses paillasses et dessus une pile de couvertures et d'oreillers. Maman avait juste laissé aux deux filles le soin de faire les lits et Laura ne doutait pas que son cadeau de Noël, le livre de poèmes de Tennyson, fût à l'abri dans la commode de Maman. Elle ne chercherait jamais à le lire en cachette, bien sûr.

Néanmoins, à chaque fois que Laura apercevait la commode, les vers retrouvaient spontanément le chemin de sa mémoire :

« *Toute ronde, au-dessus de la vallée, se tenait la lune ;*
Et, telle une... »

Telle une quoi? Laura devrait attendre le jour de Noël pour connaître la suite de cet exaltant poème.

« *" Courage! dit-il, et il montra la terre,*
Cette vague montante, bientôt nous portera au rivage. "
L'après-midi, ils atteignirent une contrée
Où il semblait qu'il fût toujours après-midi... »

Noël semblait bien lointain à Laura.

Au rez-de-chaussée, Maman avait déjà nettoyé et agréablement arrangé la grande pièce de devant. Le poêle était ciré, les rideaux lavés de frais pendaient aux fenêtres, et les petits tapis de chiffons tressés habillaient gaiement le plancher balayé. Les deux fauteuils à bascule occupaient le coin ensoleillé de la pièce. Celui de Marie demeurait vide.

Laura ressentait parfois si cruellement l'absence de Marie qu'elle avait envie de pleurer, mais cela n'aurait servi à rien d'en parler. Marie vivait au collège où elle avait si ardemment souhaiter aller. Un de ses professeurs avait écrit à Papa que Marie se portait bien et faisait de rapides progrès ; elle pourrait bientôt écrire des lettres.

D'un accord tacite, personne ne parlait du vide créé par le départ de Marie. Ils préparèrent le dîner avec entrain puis mirent la table et Maman ne se rendit pas compte de la nostalgie qui perçait dans sa voix quand elle dit :

— Eh bien, nous voici enfin tous confortablement installés pour l'hiver.

— Oui, dit Papa. Cette fois, nous pouvons l'attendre de pied ferme.

Ils n'étaient pas les seuls à s'être préparés pour un hiver difficile. Tous les habitants de la ville avaient pris leurs précautions. Le chantier de bois regorgeait de charbon. Les commerçants s'étaient abondamment approvisionnés. Il y avait de la farine au moulin et du blé dans ses coffres.

— Nous ne manquerons pas de charbon ni de quoi manger pendant tout l'hiver, même si les trains sont bloqués par la neige, se réjouit Papa.

Leurs provisions de nourriture et leur réserve de pétrole en quantité suffisante pour ne pas risquer de mourir de faim ou de froid leur procurait un agréable sentiment de sécurité et de bien-être.

Laura savait que les agréables promenades de la concession à l'école lui manqueraient. Elle prenait tant de plaisir à ces longues marches

184

dans la Prairie. Mais, à présent, on se pressait moins le matin car Papa s'occupait seul des soins à donner aux bêtes depuis que le travail dans les champs était terminé. De plus, le court trajet de la maison à l'école était préférable pour Carrie.

Papa, Maman et Laura se faisaient du souci au sujet de Carrie qui n'avait jamais été très forte. En outre, elle ne se remettait pas comme elle l'aurait dû des suites du rigoureux hiver de l'an passé. On lui épargnait les tâches les plus fatigantes pour ne lui laisser que les petits travaux ménagers et Maman essayait d'encourager son appétit avec des plats savoureux. Mais Carrie restait maigre et pâlotte, d'une taille au-dessous de la moyenne pour son âge. Ses yeux semblaient démesurés dans son petit visage tiré. Souvent et bien que Laura lui portât ses livres, Carrie se fatiguait avant d'avoir atteint l'école qui se trouvait pourtant à moins de deux kilomètres de la concession. Parfois, de violents maux de tête la faisaient souffrir et l'empêchaient de bien réciter ses leçons. Vivre en ville serait plus commode et bien préférable pour Carrie.

CHAPITRE 13

JOURS DE CLASSE

Laura aimait bien l'école. Elle connaissait tous les élèves, à présent et s'entendait parfaitement avec ses trois meilleures amies : Ida, Marie Power et Minnie. Pendant la récréation et à l'heure du déjeuner, elles ne se quittaient plus.

Dans l'air vif des journées ensoleillées, les garçons jouaient au ballon. Parfois, ils le lançaient contre le mur pour courir ensuite après, au milieu de joyeuses bousculades. Souvent ils appelaient Laura d'une voix cajoleuse :

— Viens jouer avec nous, Laura. Allez, viens!

A l'âge de Laura, les filles ne jouaient plus à ces jeux de garçon mais celle-ci aimait tant courir, bondir, rattraper le ballon et le lancer que, parfois, elle ne résistait pas à l'envie de se joindre à eux. Les garçons étaient encore petits. Laura les aimait bien et elle ne se plaignait jamais quand le jeu prenait quelques fois une tournure un peu plus brutale. Un jour, Laura entendit Charley dire en parlant d'elle :

— Elle n'est pas mijorée pour une fille.

Cela lui fit très plaisir. Si de jeunes garçons aiment une grande fille on peut dire qu'il en va de même pour tous.

Les autres filles ne considéraient pas Laura comme un garçon manqué même quand son visage rougissait d'avoir tant couru et sauté et que ses épingles à cheveux se défaisaient. Ida jouait aussi au ballon de temps en temps et Marie Power et Minnie regardaient et les applaudissaient. Seule, Nelly Oleson affichait son dédain. Nelly ne prenait même pas part à leurs promenades quoiqu'elles l'y invitassent poliment. Tout était « vraiment trop vulgaire », disait-elle.

— Nelly a peur de gâter son teint de l'Etat de New York, pouffa Ida.

— Je crois qu'elle reste dans la salle de classe pour devenir l'amie de Mlle Wilder, dit Marie Power. Elle lui parle tout le temps.

— Eh bien, laissons-la. De toute façon, nous nous amusons beaucoup mieux sans elle, ajouta Minnie.

— Mlle Wilder a vécu également dans l'Etat de New York. Elles doivent en parler ensemble, fit remarquer Laura.

Marie Power lui lança un regard de côté plein de malice et pressa son bras. Personne n'appelait Nelly « la chouchoute » mais tout le monde le pensait. Laura s'en moquait. Elle était la première de la classe dans toutes les matières sans avoir besoin pour cela d'être la chouchoute de l'institutrice.

Tous les soirs après le dîner, Laura se plongeait dans ses livres jusqu'à l'heure d'aller au lit. C'était le moment où Marie lui manquait le plus vivement. Elles avaient toujours revu ensemble leurs leçons. Mais Laura savait que loin de là, dans l'Iowa, Marie étudiait également et qu'il lui fallait obtenir son diplôme d'institutrice pour que sa sœur pût rester au collège et profiter de la chance inespérée de s'instruire.

Toutes ces pensées traversèrent l'esprit de Laura tandis qu'elle se promenait bras dessus bras dessous entre Marie Power et Ida.

— Vous savez à quoi je pense? demanda Minnie.

— Non, à quoi? lui demandèrent-elles.

— Je parie que voici l'objet de la convoitise

de Nelly, répondit Minnie en désignant un attelage qui approchait.

Il s'agissait des chevaux *Morgan*.

Leurs pattes élancées se mouvaient gracieusement, soulevant sous leurs sabots un petit nuage de poussière. Leur poitrail lustré chatoyait, leurs crinières et leurs queues noires flottaient au vent. Ils dressaient leurs oreilles vers l'avant et leurs yeux brillants semblaient percevoir le monde sous un jour amusé. De petits pompons rouges dansaient sur leurs brides.

La lumière du soleil soulignait l'arc harmonieux de leur encolure, leurs flancs lisses et la courbe arrondies de leurs hanches. Ils tiraient un nouveau boghei, flambant neuf. Son garde-boue rutilait et la couleur rouge des roues contrastait joliment avec le noir brillant de la capote.

Laura n'avait jamais vu d'aussi joli boghei.

— Pourquoi n'as-tu pas salué, Laura? lui demanda Ida quand le boghei les eut dépassées.

— Tu n'as pas vu qu'il soulevait son chapeau? dit Marie Power.

Laura n'avait eu d'yeux que pour les magnifiques chevaux jusqu'au moment où le boghei était passé comme une flèche devant elle.

— Oh, je suis désolée. Je ne voulais pas me montrer impolie, dit-elle. Vous ne trouvez pas que ces chevaux ressemblent à une mélodie?

— Tu ne veux pas dire que Nelly a jeté son

dévolu sur lui, Minnie, dit Marie Power en reprenant leur conversation. C'est déjà un homme ; il possède une concession.

— Je l'ai vue regarder ses chevaux, dit Minnie. Je suis sûre qu'elle s'est mis dans la tête de faire une promenade derrière eux. Vous vous souvenez de ce regard entendu qu'elle a parfois ? Et maintenant qu'il a un nouveau boghei !

— Il ne l'avait pas encore pour la fête du 4 juillet, dit Laura.

— Non, il vient juste de le recevoir de l'Est, leur apprit Minnie. Il l'a commandé après avoir vendu sa récolte de blé. Il a eu une très belle récolte, paraît-il.

Minnie savait toujours beaucoup de choses parce que son frère Arthur la tenait au courant de ce genre de nouvelles.

Lentement, Marie Power affirma :

— Je crois que tu as raison, Minnie. Elle en est bien capable.

Laura se sentit mal à l'aise. Elle n'aurait pas fait d'avances à Mlle Wilder dans le seul but de faire une promenade derrière les chevaux de son frère. Pourtant elle avait souvent songé que si l'institutrice la prenait en amitié, elle l'emmènerait peut-être un jour faire un tour avec elle.

Mlle Wilder avait pris une concession sur cette route à moins de cinq cents mètres de l'école. Elle habitait dans une petite maison. Le matin, Almanzo la conduisait souvent à l'école ou bien il passait le soir après la classe pour la raccompagner chez elle. A chaque fois qu'elle voyait les chevaux *Morgan,* Laura espérait que Mlle Wilder l'inviterait à faire une petite promenade. Se pouvait-il qu'elle fût aussi mauvaise que Nelly Oleson?

A présent que Laura avait vu le nouveau boghei, son désir n'en était que plus vif. Comment aurait-elle pu s'en défendre quand les chevaux était si beaux et le boghei si léger?

— Il est bientôt l'heure, dit Ida.

Et elles firent demi-tour en direction de l'école. Elles ne devaient pas arriver en retard. Dans l'entrée, elles se désaltérèrent à même la louche qui flottait dans le seau d'eau. Puis, elles entrèrent dans la salle de classe, recouvertes de poussière, les joues en feu, halées par le soleil et le grand air. Nelly, impeccable, avait l'air d'une dame. Sa peau était blanche et aucune mèche folle ne dérangeait sa coiffure.

Nelly les regarda de haut et leur adressa un sourire plein de condescendance. Laura la fixa et Nelly eut un léger haussement d'épaules.

— Ne fais pas l'importante, Laura Ingalls! persifla Nelly. Mlle Wilder soutient que ton père n'a pas grand-chose à dire au sujet de cette école, même s'il fait partie du Conseil de l'école.

— Quoi? sursauta Laura.

— Il a autant à dire que n'importe qui et peut-être plus! dit Ida énergiquement. N'est-ce pas, Laura?

— Certainement, s'écria Laura.

— Bien sûr, soutint Marie Power. Il a même plus à dire qu'un autre parce qu'il a deux filles dans cette école alors que les autres membres du Conseil n'ont pas d'enfants.

Laura était furieuse que Nelly osât dire quelque chose contre Papa. Mlle Wilder sonnait la fin de la récréation et le tintement de la cloche résonnait dans les oreilles de Laura.

— Quel dommage que tes parents soient des campagnards, Nelly, dit-elle. Si tu habitais en ville, ton père pourrait faire partie du Conseil de l'école et donner aussi son avis.

Nelly s'apprêtait à frapper Laura. Laura vit sa main se lever et en un éclair elle pensa qu'il ne fallait pas, il *ne fallait pas* frapper Nelly, en espérant réussir à se maîtriser. Mais Nelly laissa rapidement retomber sa main et elle se glissa à sa place. Mlle Wilder venait d'entrer.

Tous les élèves pénétrèrent à sa suite dans la classe au milieu d'un vacarme général et Laura alla s'asseoir, encore sous le coup de la colère qui lui brouillait la vue. Sous le couvercle du pupitre, Ida pressa légèrement son poignet crispé comme pour lui dire : « Tu as bien fait. Elle n'a eu que ce qu'elle méritait! »

CHAPITRE 14

RENVOYÉES DE L'ÉCOLE

L'attitude de Mlle Wilder surprenait tous les élèves. Dès le premier jour, les garçons s'étaient appliqués à mettre sa patience à l'épreuve. Mais Mlle Wilder n'avait encore jamais sévi sans que personne ne comprît pourquoi.

Au début, les garçons se contentaient de gigoter sur leur banc, puis ils se mirent à faire grincer leurs ardoises et claquer leurs livres. Mlle Wilder n'intervenait que lorsque le bruit devenait vraiment gênant. Elle ne réprimandait pas les garçons bruyants mais elle leur demandait sans hausser le ton et avec le sourire d'être plus calmes.

— Vous gênez les autres, mais je crois que vous ne vous en rendez pas compte, disait-elle.

Cette remarque laissait les élèves perplexes. Quand elle se tournait vers le tableau, le bruit reprenait. Les garçons commencèrent même à chuchoter entre eux.

Chaque jour, Mlle Wilder demandait plusieurs fois poliment à chaque élève de faire un petit peu moins de bruit. Ceux qui se tenaient parfaitement tranquilles pâtissaient de son manque de fermeté. Bientôt, tous les garçons se parlèrent à voix basse, se donnèrent des coups de coude et parfois même se battirent en catimini derrière leur pupitre. Les fillettes s'écrivaient des petits mots sur leurs ardoises.

Mlle Wilder pourtant ne punissait personne. Un après-midi, elle frappa d'un petit coup sec sur son bureau pour réclamer l'attention de tous les élèves et elle leur dit qu'elle ne doutait pas de leur gentillesse. Elle expliqua ensuite qu'elle ne croyait pas à la vertu des punitions. Elle ne voulait pas se faire redouter, mais se faire aimer. Elle les aimait tous et elle était sûre que tous l'aimaient. Sa façon de parler déconcerta même les grandes filles.

— La bonne entente règne entre les petits oiseaux d'un même nid, conclut-elle en souriant.

194

Son discours mit Laura et Ida mal à l'aise. De plus, cela montrait qu'elle ne connaissait rien aux oiseaux.

Mlle Wilder ne se départait jamais de son sourire, même lorsqu'on pouvait lire dans son regard qu'elle était terriblement agacée. Seuls les sourires qu'elle adressait à Nelly Oleson semblaient sincères. Elle paraissait avoir grande confiance en Nelly.

— C'est une... euh, une hypocrite, je crois, dit un jour Minnie à voix basse pendant la récréation.

Les grandes filles regardaient derrière la fenêtre les garçons qui jouaient au ballon. Mlle Wilder et Nelly bavardaient ensemble près du poêle. Il faisait plus froid près de la fenêtre, mais les autres filles s'y sentaient plus à l'aise pour parler.

— Je ne pense pas qu'elle soit vraiment hypocrite, dit Marie Power. Et toi, Laura?

— Je ne le pense pas non plus, répondit Laura. Je crois qu'elle ne sait pas s'y prendre. Pourtant elle est très savante, elle a beaucoup lu.

— Cela est certain, approuva Marie Power. Mais comment une personne qui connaît si bien les livres peut-elle manquer ainsi de bon sens? Je me demande ce qui va se passer quand les grands garçons viendront à l'école si elle n'arrive pas à faire tenir tranquilles les petits.

Minnie, émoustillée, ouvrait des yeux plein de malice et Ida riait. Ida gardait sa bonne humeur et le sourire en toutes circonstances. Marie Power restait songeuse.

— Oh, j'aimerais que les cours se passent bien, dit Laura, contrariée parce qu'elle voulait travailler sérieusement pour obtenir son diplôme d'institutrice.

Habitant en ville, Carrie et Laura avaient le temps de rentrer déjeuner. Mais les bons repas chauds semblaient peu profiter à Carrie. Sa pâleur et sa maigreur persistaient et elle se sentait toujours fatiguée. Elle avait souvent des maux de tête, si violents qu'elle ne pouvait pas apprendre son orthographe. Laura l'aidait. Carrie savait sa leçon par cœur, le matin; quand elle récitait en classe, elle faisait des erreurs.

Ida et Nelly, ainsi que Mlle Wilder, apportaient pour le déjeuner un repas froid à l'école. Elles mangeaient ensemble, confortablement installées près du poêle. Quand les autres filles rentraient en classe, Ida venait les rejoindre, mais Nelly restait souvent à bavarder avec Mlle Wilder pendant toute la récréation de midi.

Elle annonça plusieurs fois aux autres filles avec un sourire narquois :

— Un de ces jours, je vais monter dans le nouveau boghei tiré par les beaux chevaux *Morgan,* vous verrez.

Les autres filles n'en doutaient pas du tout.

Un jour, en rentrant à l'école à midi, Laura amena Carrie près du poêle pour qu'elle se déshabillât au chaud. Mlle Wilder et Nelly se trouvaient là, l'air grave. Laura entendit Mlle Wilder lancer sur un ton indigné : « ... Le Conseil de l'école! » Elles aperçurent alors Laura et se turent.

— Je vais sonner la cloche, dit presque aussitôt Mlle Wilder et elle passa devant Laura sans lui adresser un regard.

« Elle a peut-être quelques griefs contre le Conseil de l'école et, en me voyant, elle s'est souvenue que Papa en faisait partie », pensa Laura.

Cet après-midi-là, Carrie fit à nouveau trois fautes en récitant sa leçon d'orthographe. Laura en fut très peinée. Carrie avait une petite figure et faisait pitié. Elle s'appliquait de son mieux, mais il était clair qu'une terrible migraine lui enlevait ses moyens. Laura pensa que Mamie Beardsley allait faire aussi quelques erreurs et que cela consolerait un peu Carrie.

Après avoir refermé le livre d'orthographe, Mlle Wilder dit d'un ton grave qu'elle était déçue et affligée.

— Retournez à votre place, Mamie, et apprenez à nouveau cette leçon, ajouta-t-elle. Carrie, je vous prie d'aller au tableau. Je veux que vous y écriviez correctement cinquante fois chacun les mots suivants : « cataracte », « acquiescer », « exaspérer ». Sa voix trahissait un sentiment de triomphe en disant cela.

Laura ne voulait pas s'emporter mais, malgré elle, sa colère montait. La pauvre petite Carrie devait ressentir comme une effroyable punition la honte que lui infligeait devant toute la classe Mlle Wilder. Ce n'était pas juste! Mamie aussi avait fait des fautes. Mais Mlle Wilder avait laissé Mamie se rasseoir et elle avait puni Carrie. Elle aurait dû sentir que Carrie avait fait de son mieux mais que sa santé délicate l'handicapait. Elle était méchante, méchante et cruelle, et surtout, injuste!

Laura toutefois devait taire son sentiment de révolte et rester assise. Carrie, accablée, se dirigea courageusement vers le tableau. Elle tremblait et refoulait ses larmes. Elle ne pleurerait pas. Laura observa sa fine main qui traçait une longue rangée de mots puis une autre. Carrie devenait de plus en plus pâle mais continuait à écrire. Soudain son visage blêmit et elle s'agrippa au rebord du tableau.

Laura leva aussitôt la main puis bondit de son banc. Quand Mlle Wilder la regarda, elle n'attendit pas d'avoir la permission de parler et dit :

— S'il vous plaît, Carrie se trouve mal.

Mlle Wilder se retourna vers Carrie.

— Vous pouvez vous asseoir, Carrie, dit-elle.

La sueur perlait sur le petit visage de Carrie qui reprenait quelques couleurs. Laura se sentit soulagée.

— Asseyez-vous au premier rang, dit Mlle Wilder à Carrie qui eut assez de force pour aller jusque-là.

Alors Mlle Wilder posa son regard sur Laura.

— Puisque vous ne voulez pas que Carrie écrive les mots qu'elle a mal épelés, Laura, allez donc les écrire à sa place, lança-t-elle.

Un silence glacé s'installa aussitôt dans la classe. Les regards convergèrent vers Laura. Quel déshonneur pour elle qui faisait partie des grandes élèves que d'écrire des mots au tableau en guise de punition. Mlle Wilder fixa Laura qui soutint son regard.

Laura alla au tableau, prit une craie et commença à écrire. Elle sentait le rouge lui monter aux joues. Mais elle comprit rapidement que personne ne se moquait d'elle. Elle alignait rapidement les mêmes mots les uns en dessous des autres.

Plusieurs fois, des « Psitt! psitt! » se firent entendre derrière elle. La classe était à nouveau bruyante, comme d'habitude. Puis elle entendit dans un chuchotement : « Laura! psitt! »

Charley lui faisait signe. « Psst! Ne le fais pas! murmura-t-il. Dis-lui que tu ne veux pas le

199

faire! Nous sommes tous pour toi, nous te soutiendrons tous. »

Ces mots réconfortèrent Laura. Mais il ne fallait pas perturber la classe. Elle sourit, puis fronça les sourcils et secoua la tête en signe de désapprobation. Charley se replongea dans ses livres, déçu, mais il resta tranquille. Laura croisa alors le regard furieux de Mlle Wilder. Celle-ci avait observé toute la scène.

Laura se retourna vers le tableau et reprit ses longues rangées de mots. Mlle Wilder s'abstint de faire à Charley ou à Laura le moindre reproche.

« Elle n'a pas le droit de m'en vouloir. Elle devrait plutôt m'être reconnaissante d'essayer d'empêcher le chahut », pensa Laura avec ressentiment.

Ce soir-là, à la sortie de l'école, Charley et ses copains, Clarence et Alfred, marchèrent juste derrière Laura, Marie Power et Minnie.

— Demain, je vais lui régler son compte à cette vieille rosse! se vanta tout haut Clarence afin que Laura l'entendît. Je vais mettre une punaise sur sa chaise.

— Avant, je casserai sa règle, lui promit Charley. Comme cela, si elle te prend, elle ne pourra pas te punir.

— S'il vous plaît, les garçons, ne faites pas cela, les supplia Laura qui s'était retournée.

200

— Et pourquoi pas? Ce serait amusant et elle ne pourra pas nous punir, lui expliqua Charley.

— Mais qu'est-ce qu'il y a d'amusant? répliqua Laura. On ne traite pas une femme de cette manière, même si elle ne vous aime pas. J'aimerais vraiment que vous ne fassiez pas cela.

— Bi-i-en, consentit Clarence. C'est d'accord, je ne le ferai pas.

— Et nous non plus, acquiescèrent Alfred et Charley.

Laura savait qu'ils tiendraient leur parole même si c'était à contrecœur.

Tandis qu'elle étudiait ses leçons à la lueur de la lampe, Laura leva les yeux de ses livres pour dire :

— Mlle Wilder ne nous aime pas, Carrie et moi. Je ne sais pas pourquoi.

Maman laissa un instant son tricot.

— Tu te fais des idées, Laura, dit-elle.

— Faites en sorte qu'elle n'ait aucune raison d'avoir de tels sentiments à votre égard et tout s'arrangera bientôt, ajouta Papa, levant les yeux de son journal.

— Mais je ne fais rien pour qu'elle ne m'aime pas, assura Laura avec conviction. Peut-être subit-elle l'influence de Nelly Oleson, poursuivit-elle, en se penchant à nouveau sur son livre.

« Elle écoute trop Nelly Oleson », se dit-elle en son for intérieur.

Laura et Carrie arrivèrent de bonne heure à l'école, le lendemain matin. Mlle Wilder et Nelly étaient installées près du poêle. Les autres élèves n'étaient pas encore arrivés. Laura dit bonjour et, lorsqu'elle s'approcha de la douce chaleur du poêle, sa jupe frôla la caisse à charbon et s'accrocha à son rebord fendu.

— Oh, flûte! s'exclama Laura tandis qu'elle s'arrêtait pour se dégager.

— Avez-vous déchiré votre jupe, Laura? lui demanda Mlle Wilder d'un petit ton pincé. Pourquoi ne nous obtenez-vous pas une nouvelle caisse à charbon? Votre père fait partie du Conseil de l'école, si je ne m'abuse, et vous pouvez obtenir ce que vous désirez.

Laura la regarda, abasourdie.

— Comment? mais non, je ne peux pas, s'exclama-t-elle. Mais vous aurez une nouvelle caisse à charbon si vous le désirez.

— Oh! merci, dit Mlle Wilder.

Laura ne comprenait pas pourquoi Mlle Wilder lui parlait de cette façon. Nelly faisait semblant d'être très absorbée par son livre, mais un léger sourire se dessina à la commissure de ses lèvres. Laura ne savait que penser et se tut.

Pendant toute la matinée, la classe se déroula dans le désordre et le vacarme, mais les garçons tinrent leur promesse. Ils ne furent pas plus dissipés que d'habitude. Ils ne savaient pas leurs leçons car ils ne les apprenaient plus et Mlle Wilder semblait si accablée que Laura la plaignait.

L'après-midi commença plus calmement. Laura étudiait avec application sa leçon de géographie. En levant les yeux de son livre pour essayer d'apprendre par cœur les exportations du Brésil, elle aperçut Carrie et Mamie plongées dans leur livre. La tête penchée sur leur manuel d'orthographe, elles gardaient les yeux fixés dessus et leurs lèvres remuaient en silence tandis qu'elles épelaient des mots mentalement. Elles ne se rendaient pas compte que leurs corps oscillaient d'avant en arrière et que leur banc suivait ce léger balancement.

Laura pensa que les boulons qui retenaient les pieds du banc avaient dû se desserrer. Le banc bougeait sans bruit; cela n'avait donc pas beaucoup d'importance. Laura regarda à nouveau son livre et étudia les ports maritimes.

La voix perçante de Mlle Wilder la sortit soudain de son étude.

— Carrie et Mamie, cria-t-elle, laissez de côté ces livres et contentez-vous de faire balancer ce banc!

Laura leva les yeux. Carrie restait bouche bée, les yeux écarquillés. Son petit visage tiré devint blanc de stupeur puis rouge de honte. Mamie et elle fermèrent leur manuel d'orthographe et docilement firent balancer leur siège en silence.

— On ne peut pas travailler dans le désordre, expliqua doucement Mlle Wilder. Dorénavant, quiconque troublera la classe d'une manière ou d'une autre devra poursuivre son manège jusqu'à en être définitivement lassé.

Ces paroles eurent peu d'effet sur Mamie mais Carrie se sentait tellement honteuse qu'elle avait envie de pleurer.

— Continuez à faire balancer ce banc, les filles, jusqu'à ce que je vous dise d'arrêter, ajouta Mlle Wilder.

Une intonation de triomphe perçait à nouveau dans sa voix.

Elle se retourna vers le tableau où elle était en train d'expliquer un problème d'arithmétique aux garçons qui n'écoutaient absolument rien.

Laura essaya de penser à nouveau au Brésil mais elle n'arrivait pas à se concentrer. Au bout d'un moment, Mamie releva un peu la tête et n'hésita pas à traverser l'allée pour aller s'asseoir à une autre place.

Carrie continua à faire balancer le banc à deux places maintenant trop lourd pour une petite fille assise toute seule à un bout. Lentement le mouvement du siège cessa.

— Ne vous arrêtez pas, Carrie, dit Mlle Wilder d'une voix douce.

Elle n'adressa aucun reproche à Mamie.

Le visage de Laura s'empourpra de colère. Elle n'essaya même pas de se maîtriser. Elle haïssait Mlle Wilder pour sa méchanceté et son injustice. Mamie avait changé de place, refusant de partager la punition infligée et Mlle Wilder ne lui disait rien. Carrie n'était pas assez forte pour faire balancer toute seule le lourd banc. Laura fit un immense effort pour se contrôler. Elle se mordit très fort les lèvres et resta assise. Sa petite sœur serait certainement bientôt excusée, pensa-t-elle. Carrie, le visage livide, essayait de son mieux de maintenir le balancement du siège, mais il était trop lourd. Progressivement, le mouvement s'affaiblissait. Finalement, même en usant de toutes ses forces, Carrie ne parvenait qu'à le faire légèrement osciller.

— Plus vite, Carrie! Plus vite! s'écria Mlle Wilder. Vous vouliez faire bouger ce siège, alors maintenant, allez-y.

Laura s'était levée. La colère était en train de la submerger sans qu'elle y opposât de résistance.

— Mlle Wilder, cria-t-elle, si vous désirez que ce siège bouge plus rapidement, je peux m'en charger!

Mlle Wilder s'empressa de saisir l'occasion.

— Parfaitement, faites-le donc! Ne prenez pas vos livres, contentez-vous de faire balancer ce banc!

Laura s'avança rapidement. Elle murmura à Carrie : « Reste tranquille et repose-toi. » Elle prit solidement appui avec ses pieds sur le plancher et fit balancer le siège.

Papa avait de bonnes raisons de dire souvent qu'elle était aussi robuste qu'un petit cheval.

« BOUM! » les pieds de derrière heurtèrent le plancher.

« BOUM! » ce fut au tour de ceux de devant.

Les boulons se dévissèrent tout à fait.

« Boum, BOUM! Boum, BOUM! » le siège oscillait, martelant le sol en cadence, tandis que Laura s'arc-boutait pour le mouvoir et que Carrie restait assise sans rien faire.

L'effort qu'exigeait le poids du banc n'apaisa nullement la colère de Laura. A mesure qu'augmentaient le bruit et la vitesse du balancement, la colère de Laura empirait.

« Boum, BOUM! Boum, BOUM! »

Plus personne ne pouvait étudier maintenant.

« Boum, BOUM! Boum, BOUM! »

Mlle Wilder ne s'entendait même plus parler.

Elle éleva la voix pour appeler ceux qui étudiaient le Troisième livre de lecture.

Réciter devenait impossible. Personne ne parvenait à se faire entendre.

« Boum, BOUM! Boum, BOUM! Boum... »

Alors Mlle Wilder s'écria :

— Laura et Carrie, vous êtes renvoyées de

l'école pour aujourd'hui. Vous pouvez rentrer chez vous.

« BOUM! » répondit le banc avant qu'un silence de mort ne s'établît.

Tous les élèves savaient qu'on pouvait être renvoyé de l'école pour une journée. Mais cela ne s'était encore jamais produit. Il s'agissait d'une punition plus redoutable que le fouet. Seule l'expulsion définitive de l'école constituait une sanction plus dure encore.

Laura garda la tête haute, mais sa vue se troubla. Elle rassembla les livres de Carrie qui la suivit, se faisant toute petite derrière elle. Pendant que Laura ramassait ses livres, Carrie l'attendait près de la porte en tremblant. Dans la salle de classe, personne ne disait mot. En signe de sympathie, Marie Power et Minnie ne regardèrent pas Laura. Nelly Oleson se plongea dans un livre mais un sourire narquois plissa le coin de ses lèvres. Ida lança à Laura un regard chaleureux et compatissant.

Carrie avait ouvert la porte. Laura sortit et la referma derrière elle.

Elles enfilèrent leurs manteaux dans l'entrée. Une fois sorties de l'école, la Prairie leur sembla étrangement solitaire : il n'y avait personne d'autre qu'elles alentour et sur le chemin menant à la ville. Il était environ deux heures et on ne les attendait pas à la maison à cette heure-là.

— Oh, Laura, qu'allons-nous faire? demanda Carrie au désespoir.

— Eh bien, nous allons rentrer à la maison, répondit Laura.

Elles avancèrent sur le chemin, laissant l'école derrière elles.

— Que vont dire Papa et Maman? gémit Carrie.

— Nous le verrons bien, répliqua Laura. Ils ne te feront aucun reproche car ce n'est pas ta faute. C'est la mienne car j'ai balancé le banc trop fort. Mais je ne le regrette pas du tout, ajouta-t-elle. Je le referais si c'était à refaire.

Peu importait à Carrie à qui incombait la faute. Elle appréhendait tellement de rentrer à la maison qu'elle se sentait très mal à l'aise. Les paroles de Laura n'arrivaient guère à la réconforter.

— Oh, Laura! s'écria Carrie et elle glissa sa main gantée dans celle de Laura.

Elles poursuivirent leur chemin, main dans la main, sans rien ajouter de plus. Elles traversèrent la Grand'rue et se dirigèrent vers la porte d'entrée. Laura l'ouvrit et elles entrèrent. Papa occupé à écrire à son bureau se retourna. Maman se leva de sa chaise et sa bobine de fil de coton roula sur le plancher à la grande joie de Kitty.

— Mon Dieu! que se passe-t-il? s'exclama

208

Maman. Que vous arrive-t-il, les filles? Carrie est-elle malade?

— Nous avons été renvoyées de l'école pour cet après-midi, dit Laura.

Maman s'assit et adressa à Papa un regard désespéré. Après un silence terrifiant, Papa demanda d'une voix sévère :

— Pourquoi?

— C'est ma faute, Papa, répondit aussitôt Carrie. Je ne m'en suis pas rendue compte mais tout a commencé à cause de Mamie et de moi.

— Non, je suis la seule responsable, répliqua Laura.

Elle raconta ce qui s'était passé et quand elle eut fini, un silence pesant s'installa à nouveau.

Alors Papa dit d'un ton grave :

— Les filles, vous retournerez à l'école demain matin et vous ferez comme si rien de tout cela ne s'était passé. Mlle Wilder a peut-être eu tort, mais c'est elle l'institutrice et je ne veux pas que mes filles perturbent la classe.

— Oui, Papa, promirent-elles.

— A présent, enlevez vos robes d'école et installez-vous pour étudier, dit Maman. Vous pourrez travailler ici le reste de l'après-midi. Demain vous ferez comme Papa vous l'a dit et vraisemblablement tout sera oublié.

CHAPITRE 15

LA VISITE DU CONSEIL DE L'ÉCOLE

Le lendemain matin, Laura et Carrie se rendirent à l'école. Il parut clair à Laura que leur arrivée déconcerta Nelly et la contraria. Nelly pensait certainement qu'elles ne reviendraient pas en classe.

— Oh, que je suis contente que vous soyez revenues! s'exclama Marie Power.

— Je savais bien que sa méchanceté ne t'empêcherait pas de revenir à l'école, n'est-ce pas Laura? dit Ida en lui pressant chaleureusement le bras.

— Rien ne pourrait m'empêcher de poursuivre mes études, répondit Laura.

— Et si tu étais renvoyée de l'école..., intervint Nelly.

— Il n'y a pas de raison pour que je sois renvoyée et j'agirai en sorte qu'il n'y en ait jamais aucune, répliqua Laura.

— De toute façon, tu ne risques pas d'être renvoyée puisque ton père fait partie du Conseil de l'école, n'est-ce pas? poursuivit Nelly.

— J'aimerais que tu cesses de répéter que mon père est au Conseil de l'école, cria Laura, excédée. Et, d'ailleurs, de quoi te mêles-tu? Si...

La cloche sonna alors et tous les élèves regagnèrent leur place.

Carrie veillait à se tenir parfaitement bien et Laura, obéissant à Papa, avait une conduite irréprochable. Il ne lui vint pas à l'esprit qu'elle ressemblait à la coupe à l'apparence étincelante dont parle la Bible, car, au fond d'elle-même, elle haïssait Mlle Wilder.

La rancune qu'elle éprouvait contre Mlle Wilder qui s'était montrée si cruellement injuste envers Carrie restait vivace. Elle voulait lui rendre la pareille. Son excellente conduite n'était qu'une apparence trompeuse : elle ne faisait pas le moindre effort pour être réellement bonne.

Il n'y avait jamais eu un tel chahut dans la classe. Les livres se fermaient avec fracas, les pieds martelaient le sol et les chuchotements emplissaient la pièce d'un bruit confus. Seules les grandes filles et Carrie se tenaient tranquilles et étudiaient. Dès que Mlle Wilder se tournait dans une direction, le bruit et l'agitation reprenaient dans l'autre. Soudain, un cri perçant retentit.

Charley avait bondi de son siège, les mains posées sur son fond de pantalon.

— Une épingle! hurla-t-il. Une épingle sur mon banc!

Mlle Wilder pinça les lèvres. Cette fois-ci, elle ne souriait plus et elle dit d'une voix grêle :

— Venez ici, Charley, je vous prie.

Charley fit un clin d'œil à la classe et alla en traînant la patte jusqu'au bureau de Mlle Wilder.

— Présentez votre main, dit Mlle Wilder en cherchant sa règle dans son bureau.

Elle tâtonna pendant un moment puis se pencha pour regarder à l'intérieur de la case. La règle ne s'y trouvait pas.

— Quelqu'un a-t-il vu ma règle? demanda-t-elle.

Aucune main ne se leva. Le visage de Mlle Wilder s'empourpra de colère.

— Charley, allez dans ce coin, face au mur, cria-t-elle.

Charley se dirigea vers le coin indiqué, se

frottant les fesses comme s'il ressentait la dou-loureuse piqûre de l'épingle. Clarence et Alfred éclatèrent de rire. Mlle Wilder se tourna rapide-ment vers eux, mais, plus vivement encore, Charley regarda par-dessus son épaule et lui fit de telles grimaces que tous les garçons n'en pouvaient plus de rire. Charley avait agi si prestement qu'elle n'aperçut que sa nuque quand elle pointa son regard vers lui pour découvrir la raison de ce fou rire.

Trois ou quatre fois encore elle se retourna à l'improviste pour saisir le chahuteur sur le fait. Mais Charley, plus rapide qu'elle, continuait à faire d'horribles grimaces dès qu'elle avait le dos tourné. Toute la classe hurlait de rire. Seules Carrie et Laura s'obligeaient à garder leur sérieux. Mêmes les autres grandes filles s'étran-glaient de rire et pouffaient dans leurs mou-choirs.

Mlle Wilder les rappela à l'ordre. Elle frappa le bureau avec son poing car elle n'avait plus de règle. Cela n'eut aucun effet. Elle ne pouvait pas surveiller continuellement Charley et dès qu'elle ne le regardait plus, il grimaçait affreusement, déclenchant l'hilarité générale.

Les garçons n'avaient pas manqué à la pro-messe qu'il avait faite à Laura mais ce qu'ils imaginaient à présent était pire que ce qu'ils avaient promis d'éviter. Laura pourtant ne s'en

213

souciait pas. A dire vrai, elle se réjouissait plutôt de ce qui arrivait.

Quand Clarence glissa de son banc et remonta l'allée à quatre pattes, Laura lui sourit.

Pendant la récréation, elle resta dans la classe. Les garçons allaient sûrement préparer des coups plus pendables encore et Laura voulait éviter de les entendre.

Après la récréation, le chahut empira. Des boulettes de papier voltigeaient au-dessus de la rangée des garçons. Les fillettes chuchotaient et se passaient des petits mots. Quand Mlle Wilder écrivait au tableau, Clarence descendait l'allée suivi d'Alfred, et, Charley, aussi leste qu'un chat, jouait à saute-mouton par-dessus leur dos.

Ils regardèrent Laura, cherchant son approbation et à nouveau elle sourit.

— Qu'est-ce qui vous fait rire, Laura? demanda d'une voix perçante Mlle Wilder qui s'était retournée.

— Comment! Je ris? s'étonna Laura en levant la tête de son livre.

La classe était tranquille. Les garçons avaient regagné leur place et tous les élèves semblaient absorbés dans leurs leçons.

— Ah! Voyez-vous ça! Vous ne riez pas! lança Mlle Wilder d'un ton sec, dévisageant Laura.

Elle se tourna à nouveau vers le tableau et

presque toute la classe, à l'exception de Laura et Carrie, s'esclaffa.

Durant le reste de la matinée, Laura resta très calme, les yeux fixés sur ses leçons et jetant de temps en temps un regard furtif vers Carrie. Une fois, Carrie se retourna et Laura posa un doigt sur ses lèvres pour qu'elle se penchât à nouveau sur ses livres.

L'agitation qui régnait dans la classe et le bruit qui redoublait à chaque fois qu'elle avait le dos tourné déroutèrent tout à fait Mlle Wilder. Elle acheva les cours de la matinée une demi-heure en avance et Laura et Carrie durent expliquer une seconde fois pourquoi elles rentraient plus tôt que d'habitude.

Elles parlèrent du désordre de la classe et Papa les écouta l'air grave. Mais il dit seulement :

— Les filles, tâchez de vous conduire correctement. Rappelez-vous ce que j'ai dit.

Le lendemain, le vacarme reprit de plus belle. Toute la classe se moquait presque ouvertement de Mlle Wilder. Laura était épouvantée par ce qu'avaient déclenché ses sourires complices avec les chahuteurs. Elle ne faisait pourtant aucun effort pour arrêter ces derniers. Elle n'oublierait jamais la punition inique infligée à Carrie. Elle ne voulait pas pardonner à Mlle Wilder.

Comme à présent tous les élèves faisaient

enrager Mlle Wilder ou du moins ne la respectaient plus, Nelly ne voulut pas demeurer en reste. Elle restait la chouchoute de l'institutrice, mais désormais elle répétait aux autres filles les confidences de Mlle Wilder et elle se raillait d'elle. Elle leur apprit un jour que Mlle Wilder se prénommait Eliza Jane.

— C'est un secret, confia Nelly. Elle me l'a dit il y a quelque temps mais elle voulait que personne ici ne le sût.

— Je ne vois pas pourquoi, s'étonna Ida, Eliza Jane est un joli prénom.

— Je ne peux pas vous dire pourquoi elle ne l'aime pas, dit Nelly. Quand elle était petite, poursuivit-elle néanmoins, et qu'elle habitait dans l'Etat de New York, une petite fille malpropre arriva un jour à l'école et on la fit asseoir à côté de Mlle Wilder et...

Nelly attira les autres plus près d'elle et chuchota :

— Mlle Wilder a attrapé des poux dans les cheveux !

Elles eurent toutes un mouvement de recul et Marie Power s'exclama :

— Nelly ! Tu ne devrais pas rapporter des choses aussi horribles !

— Je ne voulais pas, mais c'est Ida qui l'a demandé, répliqua Nelly.

— Quoi ? Je n'ai jamais fait une telle chose,

Nelly Oleson ! s'écria Ida, avec indignation.

— Si, c'est ta faute, piailla Nelly. Ce n'est pas tout. Sa mère a envoyé un mot au professeur qui a renvoyé la petite fille sale chez elle et toute la classe a su pourquoi. La mère de Mlle Wilder a gardé sa fille toute une matinée à la maison pour passer ses cheveux au peigne fin. Mlle Wilder a pleuré, pleuré et elle redoutait tant de retourner en classe qu'elle a traîné en chemin et qu'elle est arrivée en retard à l'école. A la récréation, toute la classe a formé une ronde autour d'elle en chantant : « Eliza-la-pouilleuse ! Oh, Eliza-la-paresseuse ! »

Nelly raconta cela d'une manière si comique que les autres filles ne purent s'empêcher de rire tout en se sentant un peu honteuses de le faire. Par la suite, les filles tombèrent d'accord sur le fait qu'il ne fallait jamais confier aucun secret à Nelly car c'était une rapporteuse.

Le chahut était devenu tel à l'école qu'on n'avait plus du tout l'impression qu'il s'agissait d'un lieu d'étude. Quand Mlle Wilder sonnait la cloche, les élèves s'attroupaient gaiement, se réjouissant à l'avance des mauvais tours qu'ils allaient lui jouer. Comme elle ne pouvait pas avoir les yeux sur tous en même temps, elle n'arrivait presque jamais à prendre les élèves chahuteurs sur le fait. Ils laissaient tomber leurs ardoises et leurs livres avec fracas, lançaient des boulettes et des fléchettes de papier, sifflaient entre leurs dents et gambadaient dans l'allée. Ils s'étaient tous coalisés contre Mlle Wilder, chacun prenant un malin plaisir à la harceler, la dérouter et se moquer d'elle.

Ce sentiment unanime effrayait Laura. On ne pouvait plus revenir en arrière. Laura ne pouvait plus étudier au milieu du tohu-bohu. Si elle n'étudiait pas, elle n'obtiendrait pas assez tôt le diplôme d'institutrice pour pouvoir aider Marie à rester au collège. Marie serait peut-être même obligée de quitter le collège parce que Laura avait encouragé par deux fois d'un sourire la méchanceté de ses camarades.

Elle savait à présent qu'elle n'aurait pas dû faire cela. Elle n'éprouvait cependant aucun remords tant sa rancœur contre Mlle Wilder était grande. Tout son être se révoltait quand elle pensait à la façon dont Mlle Wilder avait traité Carrie.

Un vendredi matin, à cause du vacarme, Ida renonça à essayer d'apprendre ses leçons et se mit à dessiner sur son ardoise. Les élèves qui étudiaient le premier livre d'orthographe épelaient de travers à dessein pour faire rire leurs camarades. Mlle Wilder envoya tous les élèves au tableau pour copier la leçon. Elle se trouva alors cernée par les élèves travaillant au tableau et ceux qui se trouvaient assis derrière leur

218

pupitre. Ida, absorbée dans son dessin, balançait ses pieds et fredonnait un petit air sans même s'en rendre compte. Laura, bouchant ses oreilles avec ses poings, essayait d'étudier.

A l'heure de la récréation, Ida montra à Laura le dessin qu'elle avait fait. C'était une caricature de Mlle Wilder criante de vérité car Ida avait un bon coup de crayon. En dessous, Ida avait écrit :

> « *Comme on s'amuse bien à l'école,*
> *On y engraisse et on rigole,*
> *Nous nous tenons les côtes de rire*
> *Devant Eliza-la-pouilleuse.* »

— Je voudrais trouver de meilleures rimes, dit Ida à Marie Power et Minnie qui admiraient son dessin et riaient de bon cœur.

— Pourquoi ne demandes-tu pas à Laura de t'aider, dit Marie Power, elle sait composer de jolis vers.

— Oh oui, Laura, s'il te plaît, demanda Ida.

Laura prit l'ardoise et le crayon, songea à une rime et trouva les mots correspondants tandis que les autres filles attendaient avec impatience le résultat final. Laura voulait faire plaisir à Ida mais peut-être aussi montrer un peu — juste un peu — ce dont elle était capable. Elle écrivit à la place des vers qu'Ida avait effacés :

« Comme on s'amuse bien en classe,
De rire jamais on ne se lasse,
Nous allons tous avoir la tête creuse
Tant on rit d'Eliza-la-pouilleuse,
Eliza-la-paresseuse! »

Cette nouvelle version plut tout à fait à Ida et aux autres filles.

— Je vous avais bien dit que Laura n'avait pas sa pareille pour les rimes, rappela Marie Power.

Mlle Wilder sonna alors la cloche. La récréation avait passé bien vite.

Les garçons rentrèrent en faisant le plus de bruit possible et quand Charley passa devant Ida, il aperçut le dessin sur l'ardoise et lui prit celle-ci des mains. Ida ne fit qu'en rire sans lui opposer de résistance.

« Oh, non! » supplia Laura tout bas, mais il était trop tard. Jusqu'à midi, les garçons firent circuler l'ardoise et Laura redoutait que Mlle Wilder ne s'en aperçût et la confisquât; elle découvrirait alors le dessin d'Ida avec au-dessous l'écriture de Laura. Laura poussa un profond soupir de soulagement quand Ida reprit possession de son ardoise et s'empressa de l'effacer avec son chiffon.

Quand ils se retrouvèrent tous dans l'air vif et ensoleillé sur le chemin de leur maison où les attendait le déjeuner, Laura entendit les garçons chanter tout le long du chemin :

> « *Comme on s'amuse bien en classe,*
> *De rire jamais on ne se lasse,*
> *Nous allons tous avoir la tête creuse*
> *Tant on rit d'ELIZA-LA-POUILLEUSE,*
> *ELIZA-LA-PARESSEUSE!* »

Laura en eut le souffle coupé de stupéfaction et pendant une minute tout tourna autour d'elle.

— Ils n'ont pas le droit de faire cela, s'écria-t-elle ensuite. Il faut les arrêter. Oh, Marie Power, Minnie, venez, pressez-vous! Les garçons! Charley! Clarence! appela-t-elle.

— Ils ne t'entendent pas, dit Minnie. Nous ne pouvons plus les arrêter maintenant.

Les garçons avaient déjà atteint la Grand'rue où ils se séparaient. Ils échangèrent quelques mots avant de se quitter, mais Laura s'était à peine remise de ses émotions quand elle entendit l'un des garçons entonner, bientôt accompagné par les autres : « Comme on s'amuse bien en classe... »

> « ELIZA-LA-POUILLEUSE,
> ELIZA-LA-PARESSEUSE! »

retentissait dans toute la Grand'rue.

— Oh, pourquoi manquent-ils à ce point de bon sens! se lamenta Laura.

— Il ne reste plus qu'une chose à faire, dit Marie Power. Ne leur dis pas qui a écrit cela. Ida ne le dira pas, j'en suis sûre, ni Minnie, ni moi non plus, n'est-ce pas Minnie?

— Je vous le promets, répondit Minnie. Mais que faites-vous de Nelly Oleson?

— Elle n'en sait rien. Pendant toute la récréation, elle a bavardé avec Mlle Wilder, leur rappela Marie Power. Et toi, Laura, tu ne le diras jamais, n'est-ce pas?

— Non, à moins que Papa ou Maman ne me le demandent, dit Laura.

— Ils n'y songeront probablement pas et ainsi personne ne saura jamais rien, conclut Marie Power, cherchant à réconforter Laura.

Charley et Clarence passèrent devant la maison tandis qu'ils étaient tous à table en chantant la terrible chanson.

— Je ne connais pas cette chanson-là, fit remarquer Papa. As-tu déjà entendu une chanson sur Eliza-la-pouilleuse, Caroline?

— Non, jamais, répondit Maman. Ce doit être une nouvelle chanson.

Laura ne dit mot. Elle aurait voulu disparaître dans un trou de souris.

Même autour de l'école, les garçons n'arrêtaient pas de chanter ces nouvelles rimes et le frère de Nelly se trouvait parmi eux. Dans la salle de classe, Ida et Nelly se tenaient derrière une fenêtre, le plus loin possible de Mlle Wilder. Celle-ci avait dû comprendre que Nelly avait dévoilé ses secrets.

Nelly était furieuse. Elle voulait savoir qui avait écrit cette chanson et Ida n'avait pas voulu le lui dire ni aucune des autres filles. Sans aucun doute son frère Willy le savait ou du moins parviendrait à le savoir. Il le lui dirait et elle le répéterait ensuite à Mlle Wilder.

Ce soir-là, après l'école et à nouveau pendant toute la journée du samedi on entendit cette chanson dont les garçons ne se lassaient pas. Comme il faisait beau, ils restaient dehors, emplissant l'air de leurs cris. Laura en vint presque à souhaiter qu'un blizzard éclatât et les cloîtrât chez eux. Elle n'avait de sa vie ressenti une aussi grande honte car ce qu'elle avait fait dépassait de beaucoup la méchanceté des commérages malveillants de Nelly. Laura s'en voulait d'avoir écrit cette chanson mais elle en voulait encore bien davantage à Mlle Wilder. Si celle-ci s'était seulement montrée juste envers Carrie, Laura ne se trouverait pas actuellement dans une situation aussi désagréable.

Cet après-midi-là, Marie Power vint lui rendre visite. Elles passaient souvent ensemble les samedis après-midi. Elles se tenaient dans l'agréable pièce de devant, baignée de soleil.

Laura faisait au crochet une mantille en laine

blanche et soyeuse pour Marie, qu'elle lui enverrait à Noël et Marie Power tricotait une cravate en soie pour le Noël de son père. Maman se balançait doucement dans son fauteuil à bascule et tricotait. Parfois, elle abandonnait son ouvrage pour leur lire des passages intéressants du *Progrès,* le journal de la paroisse. Grace jouait autour d'elles et Carrie cousait une courtepointe en patchwork.

Quels agréables après-midi elles passaient ensemble! Les rayons du soleil hivernal se déversaient dans la pièce où le poêle à charbon faisait régner une douce chaleur. Kitty, chatte adulte à présent, s'étirait et ronronnait dans la lumière du soleil, paresseusement allongée sur le tapis de chiffons tressés. Parfois, elle se frottait contre la porte d'entrée, demandant en miaulant qu'on la laissât sortir pour aller guetter les chiens.

En ville, Kitty était devenue une véritable célébrité. C'était une chatte si jolie et si gracieuse dans sa robe blanche scintillante aux reflets bleus que tout le monde voulait la caresser. Mais elle connaissait bien ses maîtres et ne se laissait caresser que par eux. Quand quelqu'un d'autre se penchait pour la flatter, elle se hérissait et donnait des coups de griffes. Le plus souvent, un retentissant « ne touchez pas ce chat » évitait à temps ce genre d'ennui.

224

Kitty aimait bien se tenir sur le seuil de la maison pour regarder les gens passer. De jeunes garçons, mais parfois aussi des adultes, s'amusaient à lui présenter un chien. Kitty restait tranquillement assise tandis que le chien grondait et aboyait, mais elle se tenait prête. Quand le chien se précipitait vers elle, elle sautait en l'air en poussant un épouvantable miaulement et atterrissait carrément sur le dos du chien toutes griffes dehors. L'animal s'en allait ventre à terre.

Kitty, chevauchant sereinement le chien qui poussait des « kaï-kaï » désespérés, partait comme une flèche. Quand elle estimait s'être suffisamment éloignée de la maison, elle sautait au bas de sa monture qui poursuivait sa course sans demander son reste. Alors Kitty prenait le chemin de la maison, dressant fièrement la queue. Seuls les chiens qui ne la connaissaient pas s'y laissaient prendre.

Rien ne plaisait tant à Laura que ces samedis après-midi où les facéties de Kitty et la présence amicale de Marie Power ajoutaient au plaisir d'être bien chez soi. A présent, même la chatte n'amusait plus Laura. Elle redoutait tant d'entendre les garçons chanter à nouveau la chanson qu'elle se sentait très oppressée.

« Je devrais tout avouer à Papa et à Maman », se disait-elle. Elle enrageait toujours autant de l'attitude de Mlle Wilder. Elle n'avait nullement songé à mal en écrivant ces vers ; elle les avait écrits pendant la récréation, pas pendant les heures de classe. Mais tout cela était trop difficile à expliquer. Sans doute, comme Maman l'avait dit, l'histoire s'apaiserait d'elle-même. Mieux vaut ne pas trop en dire si on veut que les choses s'arrangent vite. Mais peut-être quelqu'un en ce moment était-il en train de tout raconter à Papa.

Marie Power aussi était préoccupée. Elles se trompèrent toutes deux et durent défaire des mailles. Elles n'avaient jamais aussi peu avancé leurs ouvrages en un après-midi. Leur conversation ne portait plus sur l'école. Aller à l'école n'était plus un plaisir ; elles n'attendaient plus avec impatience le lundi matin.

Ce lundi matin fut pire que jamais. Il n'était même plus possible de faire semblant d'étudier. Les garçons sifflaient et se battaient dans les allées. Toutes les fillettes, à l'exception de Carrie, chuchotaient, se trémoussaient sur leurs bancs et allaient même jusqu'à changer de place. Les « du calme, s'il vous plaît, un peu plus de calme, je vous en prie » de Mlle Wilder ne s'entendaient même plus.

Laura et Ida qui se trouvaient les plus près de la porte entendirent frapper à la porte d'entrée. Elles se regardèrent et quand un nouveau coup retentit, Ida leva la main, mais sans résultat.

Soudain un coup fort résonna à la porte de la salle de classe. Tout le monde l'entendit. La porte s'ouvrit et le vacarme s'éteignit. Papa s'avança dans la classe au milieu d'un silence de mort. Derrière lui venaient deux hommes que Laura ne connaissait pas.

— Bonjour, Mademoiselle, dit Papa. Le Conseil de l'école a jugé qu'il était temps de vous rendre visite.

— Il serait temps en effet de faire quelque chose, répliqua Mlle Wilder.

Son visage s'empourpra puis pâlit tandis qu'elle rendait aux deux autres hommes leur bonjour et les invitait, ainsi que Papa, à s'avan-

227

cer jusqu'à l'estrade. Les trois hommes observèrent la classe.

Tous les élèves se tenaient parfaitement tranquilles. Le cœur de Laura battait très fort dans
sa poitrine.

— Nous avons entendu dire que vous aviez
quelques petites difficultés, dit gravement mais
gentiment un des deux inconnus, un homme de
haute taille à l'air sérieux.

— C'est exact et je suis très contente que vous
soyez là, Messieurs, pour vous dire clairement
les faits, répondit sèchement Mlle Wilder. Laura
Ingalls est à l'origine de l'agitation qui perturbe
cette classe. Elle pense qu'elle peut en prendre à
son aise car son père fait partie du Conseil de
l'école. Oui, Monsieur Ingalls, voilà la vérité.
Elle se vante de pouvoir faire la pluie et le beau
temps dans cette école. Elle ne se doutait pas
que cela parviendrait jusqu'à mes oreilles.

Elle lança à Laura un regard triomphant,
plein de hargne. Sur sa chaise, Laura restait
complètement abasourdie. Elle n'avait jamais
songé que Mlle Wilder pût mentir.

— Je suis tout à fait navré d'apprendre cela,
Mlle Wilder, dit Papa. Je suis sûr que Laura ne
songeait pas à mal.

Laura leva la main mais Papa hocha doucement la tête à son adresse.

— En outre, elle encourage les garçons à

228

l'indiscipline et voilà pourquoi j'ai quelques difficultés avec eux, déclara Mlle Wilder. Laura Ingalls les incite à faire toutes sortes de mauvais tours et à désobéir.

Papa regarda Charley. Ses yeux pétillaient.

— Jeune homme, dit-il, j'ai entendu dire que vous aviez été puni pour vous être assis sur une épingle.

— Oh, non, Monsieur! répliqua Charley avec un air de sainte nitouche. Je n'ai pas été puni pour m'être assis dessus mais pour m'en être relevé d'un bond!

Le monsieur à l'air jovial du Conseil de l'école étouffa un éclat de rire dans un toussotement. Même la moustache de l'homme grave tressauta. Mlle Wilder rougit jusqu'aux oreilles tandis que Papa ne se départait pas de son sérieux. Aucun des élèves n'avait la moindre envie de rire.

Papa dit lentement, en appuyant sur les mots :

— Nous tenons à vous faire savoir, Mlle Wilder, que le Conseil de l'école désire vous aider à maintenir la discipline dans cette classe.

Il jeta un regard sévère sur toute la classe.

— Vous devez tous obéir à Mlle Wilder, vous tenir correctement et apprendre vos leçons. Nous voulons une bonne école et nous agirons en conséquence.

Quand Papa parlait de cette manière, on sentait qu'il ne s'agissait pas de paroles en l'air.

Les élèves restaient silencieux. Le calme persista après le départ du Conseil de l'école. On n'entendit plus de vacarme ni même de chuchotements. Chaque élève apprenait tranquillement ses leçons et venait réciter dans le calme.

A la maison, Laura se tenait aussi irréprochablement. Elle se demandait ce que Papa allait lui dire, mais ce n'était pas à elle de parler la première de ce qui s'était passé. Papa n'en souffla mot jusqu'au moment où ils se retrouvèrent assis autour de la lampe après avoir fait la vaisselle du dîner.

Alors, abandonnant son journal, Papa porta son regard vers Laura et dit d'une voix posée :

— J'aimerais que tu m'expliques, Laura, quelles sont les paroles qui ont pu faire croire à Mlle Wilder que tu pouvais diriger l'école parce que je faisais partie du Conseil.

— Je n'ai jamais dit ni même jamais pensé une chose pareille, Papa, dit Laura d'un ton convaincu.

— Je le sais, Laura, répondit Papa. Mais il y a bien quelque chose qui a pu lui en donner l'idée. Essaie de réfléchir à ce que cela peut être.

Laura essaya de s'en souvenir. Elle ne s'attendait pas à une telle question car, dans son esprit, elle n'avait rien à se reprocher et Mlle Wilder avait simplement menti. Elle n'avait pas cherché à comprendre pourquoi Mlle Wilder avait dit cela.

— As-tu dit à quelqu'un que je faisais partie du Conseil de l'école? lui suggéra Papa.

Nelly Oleson en avait souvent parlé, au grand embarras de Laura. Alors Laura se rappela la dispute lors de laquelle Nelly avait failli la gifler et elle raconta :

— Nelly Oleson m'a rapporté que Mlle Wilder avait déclaré que tu n'avais rien à dire sur l'école même si tu faisais partie du Conseil de l'école et je lui ai répondu que...

Laura était tellement en colère lors de cette dispute qu'elle avait du mal à se rappeler ses mots exacts.

— J'ai répondu que tu avais autant à dire que n'importe qui. Puis j'ai ajouté : « C'est dommage que ton père n'ait pas une maison en ville. Si vous n'étiez pas des campagnards, il pourrait faire partie du Conseil de l'école. »

— Oh, Laura! s'écria Maman, chagrinée. Cela a dû la mettre en colère.

— C'est ce que je désirais, dit Laura. Je voulais la rendre furieuse. Quand nous vivions sur les bords du ruisseau Plum, elle se moquait toujours de Marie et de moi car nous étions des filles de la campagne. Je voulais lui rendre la monnaie de sa pièce.

— Laura, Laura, protesta Maman au désespoir. Comment peux-tu être aussi rancunière? Cela s'est passé il y a plusieurs années.

— Elle avait été insolente envers toi aussi et méchante avec Jack, dit Laura, et des larmes lui montèrent aux yeux.

— Ne te mets pas dans des états pareils, Laura, dit Papa. Jack a été un bon chien et il a trouvé son paradis. Ainsi, Nelly a déformé tes paroles et les a rapportées à Mlle Wilder et de là vient tout le malentendu. Je comprends maintenant.

Il reprit son journal.

— Eh bien, Laura, ajouta-t-il, je pense que ceci va te servir de leçon. N'oublie jamais qu'on ne récolte que ce qu'on a semé.

Carrie se replongea dans son livre d'orthographe. Après un moment de silence, Maman dit :

— Laura, je serais contente d'écrire quelques mots dans ton album si tu veux bien me l'apporter.

Laura alla chercher son album dans sa chambre et Maman s'assit au bureau et écrivit dedans avec son petit porte-plume à tige de nacre. Elle sécha soigneusement la page au-dessus de la lampe et rendit à Laura son album.

Sur la page soyeuse de couleur crème, couverte de la belle écriture de Maman, Laura lut ces mots :

« *Si tu cherches avec prudence le chemin de la sagesse,*
N'oublie jamais ceci :
Prends garde à qui tu parles,
De quoi tu parles,
Et en quel lieu, de quelle manière et à quel moment.

Ta mère affectionnée
C. Ingalls
De Smet, le 15 novembre 1881. »

CHAPITRE 16

LES CARTES DE VISITE

Cet hiver à la fois redouté et attendu ne semblait pas arriver. Les journées étaient belles et ensoleillées. Pas la moindre couche de neige ne couvrait le sol gelé.

A la fin du premier trimestre d'école, Mlle Wilder était retournée dans le Minnesota. Le nouvel instituteur, M. Clewett, était un homme patient, mais ferme; il savait se faire respecter. A présent, un grand calme régnait dans la salle de classe, troublé seulement par les voix des élèves qui récitaient à voix basse.

234

Derrière les pupitres, il n'y avait que des enfants studieux penchés sur leurs livres.

Ce trimestre-ci, tous les grands garçons venaient à l'école et parmi eux Cap Garland. La pâleur des yeux bleus de Cap et ses cheveux blonds contrastaient étrangement avec son visage cuivré, hâlé par le soleil. Son sourire qui illuminait si soudainement sa physionomie était toujours aussi chaleureux. Tout le monde gardait en mémoire sa terrible équipée de l'hiver dernier en compagnie d'Almanzo Wilder pour rapporter du blé et empêcher les habitants de la ville de mourir de faim. Ben Woodworth et Arthur Johnson, le frère de Minnie, avaient repris l'école ainsi que Fred Gilbert, dont le père avait transporté le courrier à l'époque où les blizzards bloquaient les trains.

La neige ne tombait toujours pas. Aux récréations et à l'heure du déjeuner, les garçons jouaient dehors au ballon et les grandes filles restaient à l'intérieur de l'école.

Nelly faisait du crochet. Ida, Minnie et Marie Power suivaient les parties de ballon derrière la fenêtre. Laura venait parfois se joindre à elles, mais la plupart du temps elle restait à sa place pour étudier. Elle avait le sentiment que le temps pressait et cela commençait à l'angoisser. Elle voulait obtenir à seize ans un diplôme d'institutrice et elle en avait bientôt quinze.

— Oh, viens, Laura. Viens voir ce jeu, lui dit un jour Ida d'un ton câlin. Tu as encore toute une année devant toi pour te préparer au diplôme.

Laura referma son livre, flattée d'être réclamée par les autres filles. Nelly tourna dédaigneusement la tête.

— Je suis heureuse de ne pas être obligée d'enseigner, dit-elle. Mes parents n'ont pas besoin que je gagne ma vie!

Laura prit sur elle de ne pas élever la voix et répondit calmement :

— Bien sûr, rien ne presse pour toi, Nelly, mais, vois-tu, nous, nous pouvons vivre sans dépendre de l'aide de notre famille restée dans l'Est!

Nelly, profondément en colère, ne put que balbutier quelques mots et Marie Power l'interrompit sèchement :

— Si Laura veut enseigner, cela ne regarde qu'elle. Elle est intelligente et sera certainement une bonne institutrice.

— Oh oui, renchérit Ida, c'est la plus...

La porte s'ouvrit et Ida n'acheva pas sa phrase. Cap Garland entra. Il arrivait tout droit de la Grand'rue et portait à la main un petit sac en papier rayé.

— Bonjour, les filles! dit-il en regardant Marie Power et il tendit vers elle le sac en

236

arborant un large sourire. Veux-tu quelques bonbons?

— Oh, Cappie! s'écria Nelly en s'emparant promptement du sac, comment as-tu deviné que j'aimais tant les bonbons? Les meilleurs bonbons de la ville de plus!

Elle adressa alors un sourire à Cap et son visage prit une expression que Laura n'avait jamais vue auparavant. La surprise laissa Cap interdit.

— En voulez-vous, les filles? offrit généreusement Nelly.

Elle fit passer le sac ouvert sans s'oublier dans la distribution, puis glissa le paquet dans la poche de sa jupe.

Cap jeta à Marie un regard implorant mais cette dernière détourna la tête et l'ignora.

— Bon, je suis content que vous les aimiez, finit-il par bredouiller et il sortit jouer au ballon avec les autres.

Le lendemain, à midi, Cap apporta à nouveau des bonbons. Il essaya encore de les offrir à Marie Power mais Nelly fut une nouvelle fois la plus prompte à se saisir du paquet.

— Oh, Cappie! tu es si gentil de me rapporter d'autres bonbons, dit-elle en lui adressant son plus beau sourire.

Cette fois-ci, elle s'éloigna un peu des autres; elle n'avait d'yeux que pour Cap.

— Je ne veux pas être un goinfre et manger toute seule tous ces bonbons, prends-en un, Cappie, dit-elle en minaudant.

Il en prit un et tandis qu'elle engloutissait tous les autres, elle ne cessait de murmurer à Cap combien il était gentil, combien il était grand, et fort...

Cap semblait à la fois désemparé et ravi. Assurément, pensa Laura, Cap ne pourrait jamais se débarrasser de Nelly. Marie Power avait trop d'amour-propre pour tenter de rivaliser avec elle. Laura se demanda avec rage si une fille comme Nelly pouvait obtenir tout ce sur quoi elle jetait son dévolu et il ne s'agissait pas seulement de bonbons...

Jusqu'au moment où M. Clewett sonna la fin de la récréation, Nelly accapara l'attention de Cap. Les autres filles feignirent de les ignorer. Laura demanda à Marie Power d'écrire dans son album. Toutes les filles, à l'exception de Nelly, s'échangeaient leur album pour y écrire quelques mots. Nelly n'en avait pas.

Marie Power s'assit à son pupitre et écrivit soigneusement à l'encre. Les autres attendaient

avec impatience qu'elle eût fini. Sa belle écriture s'harmonisait parfaitement avec la délicatesse des vers qu'elle avait composés.

> « *La rose de la vallée peut flétrir*
> *Et les joies de la jeunesse s'évanouir,*
> *Au milieu de mille fleurs fanées*
> *Fleurira à jamais l'amitié.* »

L'album de Laura renfermait à présent de nombreux trésors. Il contenait le petit poème de Maman et sur la page suivante, celui d'Ida :

> « *Dans le coffret doré de la mémoire*
> *Glisse une perle pour moi.*
>
> *Ton amie affectionnée,*
> *Ida B. Wright.* »

Par-dessus l'épaule de Nelly, Cap leur jetait de temps à autre des regards désespérés, mais elles ne lui prêtaient pas attention, pas plus qu'à Nelly d'ailleurs. Minnie Johnson demanda à Laura d'écrire dans son album et Laura répondit :

— Je le ferai avec plaisir si tu écris dans le mien.

— Je vais faire de mon mieux, dit Minnie, mais je n'écris pas aussi joliment que Marie. Elle calligraphie merveilleusement.

Minnie s'assit à son pupitre et écrivit ceci :

> « *Quand le nom que j'écris ici*
> *Se sera effacé,*
> *Quand les pages de ton album*
> *Seront jaunies par le temps,*
> *Souviens-toi de moi*
> *Et n'oublie pas :*
> *Où que je sois,*
> *Je penserai à toi.*
>
> *Minnie Johnson.* »

Alors la cloche sonna et ils regagnèrent tous leur place.

Cet après-midi-là, pendant la récréation, Nelly dénigra les albums d'autographes.

— Cela ne se fait plus à présent, dit-elle. J'en ai eu un autrefois, mais je n'aime pas avoir des choses démodées.

Personne ne la crut.

— Dans l'Est, d'où je viens, ce sont les cartes de visite qui font fureur en ce moment.

— Qu'est-ce que c'est ? demanda Ida.

Nelly affecta d'être surprise par son ignorance puis lui adressa un sourire condescendant.

— Bien sûr, tu ne peux pas savoir ce que c'est. Demain, j'apporterai les miennes en classe pour te les montrer. Mais je ne t'en donnerai pas parce que tu n'en as pas une à me donner. Les cartes de visite sont faites pour s'échanger. Actuellement, dans l'Est, tout le monde échange ses cartes.

Les autres filles ne parvenaient pas à croire que les albums d'autographes fussent démodés comme le prétendait Nelly, car les leurs étaient tout récents. Maman avait rapporté celui de Laura de Vinton, dans l'Iowa, en septembre dernier.

— Elle se vante, c'est tout. Je ne crois pas qu'elle ait des cartes de visite, je ne crois même pas que cela existe, dit Minnie sur le chemin du retour, après l'école.

Mais le lendemain, Marie Power et Minnie étaient si impatientes de voir Laura qu'elles l'attendirent devant chez elle. Marie Power avait éclairci le mystère des cartes de visite. Jake Hopp, le directeur du journal local, en vendait à l'imprimerie avoisinant la banque. C'était des cartes colorées agrémentées de fleurs ou d'oiseaux sur lesquelles M. Hopp imprimait votre nom.

— Je ne pense pas que Nelly Oleson en possède, persistait à affirmer Minnie. Elle les a seulement découvertes avant nous et comme elle a projeté de s'en procurer bientôt, elle prétend que c'est la mode dans l'Est.

— Combien coûtent-elles? demanda Laura.

— Cela dépend du motif et du type d'impression, leur apprit Marie. J'en ai commandé une douzaine avec des caractères d'imprimerie ordinaires et elles me coûteront vingt-cinq *cents*.

Laura n'ajouta rien. Le père de Marie Power était tailleur et pendant tout l'hiver l'ouvrage ne manquerait pas. Mais, il n'y aurait plus en ville de travaux de charpente avant le printemps. Papa avait cinq personnes à nourrir et il devait payer le collège de Marie. Il était absurde de penser à une dépense de vingt-cinq *cents* pour une frivolité.

Nelly n'avait pas apporté ses cartes de visite, ce matin-là. Minnie les lui demanda dès qu'elles se retrouvèrent autour du poêle pour réchauffer leurs doigts gourds après leur longue marche dans le petit matin frais.

— Mon Dieu, j'ai complètement oublié! dit Nelly. Je vais faire un nœud à mon mouchoir pour me le rappeler.

Minnie adressa à Marie Power et à Laura un regard entendu qui voulait dire : « Je vous l'avais bien dit. »

Ce jour-là, à midi, Cap vint encore avec un sac de bonbons à la main et, comme les autres fois, Nelly se trouvait le plus près de la porte. Elle commença à roucouler : « Oo-oo, Cappie! » et au moment précis où elle allait s'emparer du sac de bonbons, Laura le lui arracha des

242

mains, à sa grande surprise, et le remit à Marie.

Tout le monde resta stupéfait, y compris Laura. Alors le visage de Cap s'éclaira d'un immense sourire et il jeta un regard plein de reconnaissance à Laura, puis se tourna vers Marie.

— Merci, lui dit Marie. Nous aimons tant les bonbons.

Elle en offrit aux autres filles et tandis qu'il sortait pour jouer avec les garçons, Cap se retourna pour leur adresser un nouveau sourire de remerciement.

— En veux-tu un, Nelly? proposa Marie Power.

Nelly ne se fit pas prier et choisit le plus gros.

— J'aime bien les bonbons de Cap, mais en ce qui le concerne... Fi! Je vous le laisse, je n'en ai que faire.

Marie Power rougit, mais ne répondit rien. Laura sentit son propre visage s'empourprer.

— Je suis sûre que tu ne le repousserais pas s'il s'intéressait vraiment à toi. Tu n'ignorais pas qu'il apportait ces bonbons à Marie.

— Ciel, je n'aurais qu'à lever le petit doigt pour l'avoir à mes pieds! se vanta Nelly. Mais il n'en vaut pas la peine. Par contre, j'aimerais bien connaître son camarade, ce jeune monsieur Wilder qui a un drôle de prénom. Vous verrez, dit-elle avec un sourire en coin, j'arriverai un jour en boghei derrière ses beaux chevaux.

« Oui, elle arrivera certainement à ses fins »,
pensa Laura. Nelly s'était montrée si aimable à
l'égard de Mlle Wilder qu'il était même surpre-
nant que le frère de celle-ci ne l'eût pas encore
invitée à faire un tour en boghei. Par contre,
Laura savait qu'elle avait gâché toutes ses
chances de connaître ce plaisir.

La semaine suivante, les cartes de visite de
Marie Power furent prêtes et elle les apporta à
l'école. Elles étaient splendides : chaque carte,
de couleur vert tendre, était ornée d'un dessin
représentant un petit oiseau en train de chanter
sur un rameau fleuri, avec au-dessous MARIE
POWER imprimé en lettres noires. Elle en
donna une à Minnie, une à Ida et une à Laura
bien qu'elles n'en eussent pas une à lui donner
en retour.

Ce même jour, à l'école, Nelly montra les
siennes. Elles étaient ornementées d'un bouquet
de pensées au milieu duquel couraient les mots :
« Amicales pensées ». Son nom était imprimé
sur fond jaune pâle avec des caractères d'imprimerie imitant l'écriture manuscrite. Marie et
Nelly échangèrent une carte.

Le lendemain, Minnie annonça qu'elle allait
aussi en acheter. Son père lui avait donné de
l'argent et elle irait les commander à la sortie de
l'école en compagnie des autres filles si celles-ci

244

voulaient bien l'accompagner. Ida ne pouvait pas y aller.

— Je ne dois pas perdre mon temps, car je suis une enfant adoptée. Il faut que je rentre vite à la maison pour aider du mieux que je peux, expliqua Ida sans aucune amertume. Je ne demanderai pas de cartes de visite car le Père Brown, qui prêche à la paroisse, me répondra qu'il s'agit d'un désir bien futile. Ainsi, Minnie, je me contenterai d'admirer les tiennes quand tu les auras.

— N'est-elle pas adorable? dit Marie Power après le départ d'Ida.

Ida s'attirait toujours la sympathie de tout le monde. Laura aurait voulu lui ressembler, mais elle n'y parvenait pas. Elle désirait secrètement posséder elle aussi des cartes de visite et elle jalousait presque Marie Power et Minnie.

Dans son imprimerie, M. Hopp, revêtu d'un tablier tout taché d'encre, étala sur le comptoir différents modèles de cartes de visite. Elles étaient aussi jolies les unes que les autres. Laura constata avec un malin plaisir que celles de Nelly se trouvaient parmi elles : Nelly avait donc acheté ses cartes ici.

M. Hopp avait exposé des cartes de toutes les teintes pastel; certaines possédaient même une bordure dorée. Il y avait six motifs de fleurs différents et sur une des cartes, sous le mot

« Amour », étaient représentés deux oiseaux perchés sur le bord d'un nid perdu au milieu des fleurs.

— C'est un modèle pour les jeunes gens, leur apprit M. Hopp. Il faut être un garçon pour avoir l'audace de tendre une carte avec « Amour » écrit dessus.

— Bien sûr, murmura Minnie en rougissant.

Il était bien difficile de faire un choix parmi toutes ces cartes ravissantes.

— Prenez votre temps, dit finalement M. Hopp, je vais continuer mon travail.

Il alla encrer les caractères sur lesquels il étala ensuite les feuilles de papier. Il dut allumer la lampe avant que Minnie ne se fût enfin décidée à choisir des cartes bleu pâle. Ensuite, honteuses d'avoir tant tardé, elles se précipitèrent vers leur maison respective.

Papa se lavait les mains et Maman était en train d'apporter les plats du dîner sur la table quand Laura fit irruption dans la pièce, tout essoufflée.

— Où as-tu été, Laura? demanda tranquillement Maman.

— Je suis désolée, Maman, s'excusa Laura, je ne pensais pas être si longue.

Elle leur parla des cartes des visite mais s'abstint de leur dire qu'elle en avait envie. Papa fit remarquer que Jake avait le sens du com-

246

merce pour ne pas hésiter à se lancer ainsi dans les dernières nouveautés.

— Combien coûtent-elles? demanda-t-il.

Et Laura lui apprit que les moins chères valaient vingt-cinq *cents* les douze.

L'heure d'aller au lit approchait et Laura fixait le mur, se remémorant sa leçon d'histoire sur la guerre de 1812, quand Papa plia son journal et dit :

— Laura.

— Oui, Papa?

— Tu voudrais bien avoir quelques-unes de ces cartes qui font fureur en ce moment, non?

247

— Je songeais exactement à la même chose, Charles, dit Maman.

— Eh bien, oui, cela me ferait plaisir, mais je n'en ai pas *besoin*.

Papa lui adressa un sourire complice tout en sortant de sa poche quelques pièces de monnaie parmi lesquelles il compta deux pièces de dix *cents* et un *nickel* [1].

— Je crois que tu peux avoir ces cartes de visite, ma petite pinte de cidre doux. Voici vingt-cinq *cents*.

Laura hésita.

— Vraiment? Avons-nous assez d'argent? demanda-t-elle.

— Laura! s'exclama Maman d'un air de dire : « Demandes-tu à ton Papa de rendre des comptes? »

— Oh, Papa, merci de tout cœur, s'écria alors aussitôt Laura.

— Tu es une gentille fille, dit Maman, et nous voulons que tu connaisses les plaisirs des autres filles de ton âge. Demain matin, si tu te dépêches, tu pourras remonter la rue et aller commander tes cartes de visite avant de te rendre à l'école.

Ce soir-là, dans le grand lit qui semblait vide sans Marie, Laura se sentit honteuse. Elle n'était

1. Pièce de cinq cents.

248

pas réellement bonne comme Maman, Marie ou Ida Brown. Elle ne pouvait s'empêcher de se réjouir d'avoir des cartes de visite non seulement parce qu'elles étaient jolies mais aussi pour faire enrager Nelly Oleson et de surcroît, il lui était agréable de posséder de belles choses comme Marie Power et Minnie.

M. Hopp lui promit que les cartes seraient prêtes mercredi midi. Ce jour-là, Laura eut du mal à avaler quoi que ce fût tant elle était impatiente. Maman la dispensa de la vaisselle et Laura se précipita vers l'imprimerie de M. Hopp. Elle avait choisi des cartes délicatement rosées, agrémentées d'un bouquet de roses d'un rose plus soutenu et de bleuets d'un bleu éclatant avec son nom imprimé en caractères fins : Laura Elizabeth Ingalls.

Laura Elizabeth Ingalls

Elle eut à peine le temps de les admirer car elle ne voulait pas arriver en retard à l'école. Elle avait encore un long pâté de maisons à longer avant d'arriver à la Deuxième rue. Elle pressait le pas le long du trottoir de bois qui bordait les magasins quand un boghei resplendissant s'arrêta à côté d'elle.

Laura releva la tête, surprise de voir les beaux chevaux *Morgan*. Le jeune monsieur Wilder se tenait à côté du boghei, sa casquette à la main. Il tendit l'autre main vers Laura en disant :

— Je peux vous conduire à l'école, voulez-vous? Vous y serez plus vite rendue.

Il lui prit la main et l'aida à monter dans le boghei avant de prendre place à côté d'elle. La surprise, la timidité et le plaisir de se trouver derrière ces merveilleux chevaux laissèrent Laura sans voix. Les chevaux trottaient gaiement mais très lentement et ils dressaient leurs courtes oreilles, attendant l'ordre d'aller plus vite.

— Je... je m'appelle Laura Ingalls, dit Laura.

C'était idiot de dire cela car il savait assurément qui elle était.

— Je connais votre père et je vous ai souvent aperçue en ville, répondit-il. Ma sœur m'a souvent parlé de vous.

— Quels beaux chevaux! Comment s'appellent-ils?

Elle le savait parfaitement mais elle ne trouvait rien d'autre à dire.

— Juste devant nous, c'est Lady. L'autre s'appelle Prince.

250

Laura souhaitait qu'il les fît aller plus vite, très vite, très très vite. Mais cela aurait été impoli de le lui demander.

Elle pensa parler du temps qu'il faisait mais cela manquait d'originalité.

— Je viens d'aller chercher mes cartes de visite, s'entendit-elle dire.

— Ah, oui? Les miennes sont très simples, je les ai achetées dans le Minnesota.

Il en sortit une de sa poche et la lui tendit. Il conduisait les chevaux d'une seule main, faisant jouer les rênes entre ses doigts gantés. C'était une carte blanche sans aucun motif. On pouvait lire, imprimé en lettre gothique : Almanzo James Wilder.

— C'est un prénom plutôt bizarre, n'est-ce pas? fit-il remarquer.

Laura essaya de trouver quelque chose de gentil à répondre à ce sujet.

— Ce n'est pas un prénom banal, dit-elle.

— Le choix ne vient pas de moi, précisa-t-il en souriant, on me l'a imposé. Mes parents avaient dans l'idée qu'il fallait toujours un Almanzo dans la famille parce qu'il y a longtemps, bien longtemps, un Wilder participa aux croisades et eut la vie sauve grâce à un Arabe ou du moins le croit-on. Ce dernier s'appelait El Manzoor. Ce nom fut anglicisé par la suite et à présent je dois m'en accommoder.

— Je pense que c'est un prénom qui a une histoire très intéressante, dit spontanément Laura.

Elle le pensait réellement mais elle ne savait que faire de la carte. Cela lui semblait mal élevé de la lui rendre mais peut-être ne souhaitait-il pas qu'elle la gardât. Elle la tint de telle façon qu'il pouvait la reprendre s'il le voulait. L'attelage s'engageait dans la Deuxième rue. Laura se demanda tout à coup avec anxiété s'il fallait qu'elle lui en donnât une des siennes. Nelly avait dit que les cartes de visite s'échangeaient.

Elle rapprocha la carte d'Almanzo un peu plus près de lui de manière qu'il la vît bien. Il continua à guider les chevaux sans faire mine de vouloir la reprendre.

— Voulez-vous... voulez-vous reprendre votre carte? demanda finalement Laura.

— Si vous le désirez, vous pouvez la garder, répondit-il.

— Puis-je alors vous proposer une des miennes?

Laura en sortit une du paquet et la lui tendit. Il la regarda et la remercia.

— C'est une très jolie carte, dit-il en la mettant dans sa poche.

Ils étaient arrivés devant l'école. Il sauta au bas du boghei sans lâcher les rênes, enleva sa casquette et offrit sa main à Laura pour l'aider à descendre. Laura n'avait pas besoin d'aide; elle touchait à peine son gant du bout de ses moufles et retomba avec légèreté sur le sol.

— Merci beaucoup de m'avoir conduite, dit-elle.

— Oh, ce n'est rien.

Ses cheveux n'étaient pas aussi noirs qu'elle l'avait cru et ses yeux, d'un bleu très sombre, semblaient presque noirs au milieu de son visage tanné. Il avait l'air sérieux, digne de confiance et en même temps plein d'entrain.

— Salut, Wilder! lui cria Cap Garland.

Almanzo lui fit signe de la main en réponse et s'éloigna. M. Clewett sonnait la cloche et tous les garçons s'attroupaient pour rentrer en classe.

Quand Laura se faufila jusqu'à sa place, Ida eut juste le temps de lui presser chaleureusement le bras et de chuchoter : « Oh, j'aurais voulu que tu voies sa mine quand tu es arrivée dans le boghei! »

Marie Power et Minnie, de l'autre côté de l'allée, lui lancèrent des regards complices mais Nelly regardait intentionnellement dans une tout autre direction.

CHAPITRE 17

UNE RÉUNION
DE BIENFAISANCE

Un samedi après-midi, Marie Power entra en coup de vent chez Laura, les joues toutes roses d'excitation. L'Association des Dames de charité organisait une réunion de bienfaisance dans les appartements de Mme Tinkham, au-dessus du magasin de meubles, vendredi soir prochain. Il fallait payer un droit d'entrée de dix *cents*.

— J'irai si tu y vas, Laura, dit Marie Power. Oh, le lui permettez-vous, Madame Ingalls?

Laura n'avait pas envie de demander en quoi consistait ce genre de réunion. Malgré son attachement profond pour Marie Power, elle avait un léger sentiment d'infériorité devant elle. Les vêtements qu'elle portait tombaient toujours très bien car son père, tailleur de son métier, les lui taillait sur mesure et elle avait une coiffure à la mode avec une frange.

Maman donna à Laura l'autorisation de se rendre à cette réunion. Elle ignorait jusqu'à présent l'existence de cette Association de Dames de charité.

A dire vrai, Papa et Maman étaient très déçus que le cher révérend Alden ne fût pas le prédicateur de la paroisse. Le révérend Alden lui-même le regrettait aussi. Il avait d'abord été envoyé par ses supérieurs à De Smet mais à son arrivée, il avait découvert que le révérend Brown s'était déjà établi là de sa propre initiative. Alors le cher révérend Alden était parti poursuivre sa mission dans l'Ouest sauvage, là où les pionniers commençaient à peine à s'installer.

Papa et Maman ne se détournaient pas pour autant de la vie de la paroisse et Maman participerait à l'Association des Dames de charité. Néanmoins, ils ne pouvaient s'empêcher de penser que les choses auraient été différentes si le révérend Alden avait été leur prédicateur.

Pendant toute la semaine suivante, Laura et Marie Power attendirent avec impatience le vendredi soir. Comme il fallait payer dix *cents* pour participer à la soirée, Minnie et Ida ne pensaient pas pouvoir venir et Nelly prétendit que ce genre de chose ne l'intéressait vraiment pas.

Le vendredi parut interminable à Laura et à Marie Power tant la nuit semblait longue à tomber. Ce soir-là, Laura n'ôta pas sa robe d'école, mais mit dessus un long tablier dont elle épingla la bavette sous le menton. Maman servit le dîner de bonne heure et aussitôt la vaisselle faite, Laura commença à se préparer pour la réunion.

Maman aida Laura à brosser sa robe : une robe princesse en lainage marron. Un petit col droit arrivait juste au-dessous du menton et la jupe descendait jusqu'au haut des bottines. C'était une très jolie robe gansée de rouge au col et aux poignets. Une rangée de boutons en corne marron, ornés d'un minuscule petit château, s'alignaient sur le devant.

Dans la grande pièce bien éclairée par la lampe, devant la glace, Laura brossa soigneuse-ment ses cheveux et les tressa. Elle les releva puis les laissa à nouveau tomber dans son dos : elle n'arrivait pas à trouver une coiffure qui lui plût.

— Oh, Maman, je voudrais tant que tu m'autorises à porter une frange comme Marie Power, supplia-t-elle, c'est si joli.

256

— La coiffure que tu as actuellement te va très bien. Marie Power est une très gentille fille mais je pense qu'on n'a pas tort d'appeler cette nouvelle façon de se coiffer « une coiffure à la chien », répliqua Maman.

— Tu as vraiment de très beaux cheveux, Laura, dit Carrie pour la consoler. Ils sont longs, épais, brillants et d'un joli brun.

L'image que lui renvoyait le miroir ne satisfaisait toujours pas Laura. Elle pensa alors aux petits cheveux qui poussaient en haut de son front. On ne les voyait pas lorsqu'elle brossait ses cheveux en arrière, mais elle prit garde de les ramener soigneusement sur son front et ils constituèrent une petite frange fine.

— Oh, Maman, s'il te plaît, demanda-t-elle sur un petit ton câlin, je ne veux pas une frange épaisse comme Marie Power, mais laisse-moi couper juste quelques mèches pour former une petite frange que je friserai.

— Bon, d'accord, si tu y tiens tant, finit par consentir Maman.

Laura prit les ciseaux dans le panier à ouvrage de Maman et, devant la glace, elle coupa une frange étroite de cinq centimètres de long. Elle posa son long porte-crayon à ardoise sur le poêle et quand il fut chaud elle le prit par l'extrémité non chauffée et enroula une courte mèche autour de la partie chauffée. Elle fit la même chose avec chacune des mèches afin de friser toute sa frange.

Elle brossa doucement en arrière le reste de ses cheveux et les tressa. Elle enroula plusieurs fois la longue natte dans le bas de sa nuque et l'épingla soigneusement en chignon.

— Tourne-toi et laisse-moi te regarder, dit Maman.

— Cela te plaît, Maman? demanda Laura en se retournant.

— C'est une charmante coiffure, admit Maman, je te préférais toutefois avant.

— Puis-je voir? s'enquit Papa.

Il la regarda un long moment, les yeux rieurs.

— Eh bien, pour « des chiens », je trouve cela assez réussi, constata Papa avant de se replonger dans son journal.

— C'est très joli. Cette frange te va très bien, dit doucement Carrie.

Laura enfila son manteau marron et ramena avec précaution sur ses cheveux le capuchon marron doublé de bleu au bord dentelé dont les longues extrémités s'enroulaient autour du cou comme un cache-nez.

Elle jeta un dernier coup d'œil dans la glace. L'excitation avait coloré ses joues et la frange bouclée, dépassant du capuchon doublé d'un bleu qui rehaussait la couleur de ses yeux, ne manquait pas de distinction.

— Passe une bonne soirée, Laura, et n'oublie pas tes bonnes manières, dit Maman en lui donnant dix *cents*.

— Ne penses-tu pas, Caroline, que je devrais l'accompagner jusqu'à la porte? demanda Papa.

— Il n'est pas encore très tard et il n'y a que la rue à traverser, répondit Maman. De plus, Marie Power se rend avec elle à cette soirée.

Laura sortit, le cœur battant d'impatience, dans la sombre nuit étoilée. Son souffle s'exhala dans l'air gelé en une épaisse buée blanche. Des lampes allumées à l'intérieur des maisons projetaient des taches de lumière sur le trottoir qui longeait la quincaillerie et la pharmacie et, au-dessus du sombre magasin de meubles, deux fenêtres étaient éclairées. Marie Power sortit de la boutique de son père qui avoisinait le magasin de meuble et elles grimpèrent ensemble l'escalier extérieur montant au premier étage dudit magasin.

Marie Power frappa à la porte et Mme Tinkham vint leur ouvrir. C'était un petit bout de femme disparaissant dans une robe noire ornée d'un jabot et de manchettes en dentelle. Elle leur souhaita le bonsoir et prit les pièces de dix *cents* que Laura et Marie lui tendaient.

— Suivez-moi, je vais vous montrer où poser vos manteaux, poursuivit-elle.

Pendant toute la semaine, Laura avait songé avec beaucoup d'impatience à cette fameuse réunion et ce moment si attendu était enfin arrivé. Quelques personnes se tenaient assises dans une pièce éclairée. Laura ne sut trop que faire quand elle passa rapidement devant cette pièce pour suivre Mme Tinkham jusqu'à une petite chambre. Marie Power et Laura déposèrent leur manteau et leur capuchon sur le lit. Puis elles se glissèrent sans bruit dans la grande pièce et prirent place sur une chaise.

M. et Mme Johnson se tenaient de chaque côté de la fenêtre garnie de voilages en plumetis de coton. Devant celle-ci trônait une table en bois verni portant une grosse lampe surmontée d'un abat-jour de porcelaine piqueté de petites roses rouges. Un album de photographies avec une couverture en peluche verte était posé à côté de la lampe.

Un tapis aux motifs éclatants recouvrait tout le plancher. Au milieu de la pièce se dressait un poêle rutilant aux petites fenêtres en mica. Les chaises rangées le long des murs étaient en bois verni. M. et Mme Woodworth avaient pris place sur un canapé au haut dossier et aux accoudoirs de bois brillant et au siège en étamine scintillante de crin noir.

Les murs en planches ressemblaient à ceux de la grande pièce de la maison de Laura avec cette différence qu'ils étaient abondamment garnis de tableaux représentant des gens ou des lieux que Laura ne connaissait pas. Certains étaient entourés de lourds et larges cadres dorés. Tout ceci rappelait que M. Tinkham possédait le magasin de meubles.

La sœur aînée de Cap Garland, Florence, se trouvait là en compagnie de sa mère. Il y avait aussi Mme Beardsley et Mme Bradley, dont le mari tenait la pharmacie. Tous les gens présents, mis sur leur trente et un, restaient plongés dans un grand silence. Ne sachant que dire, Marie Power et Laura n'ouvraient pas davantage la bouche.

On frappa à la porte. Mme Tinkham se précipita pour aller ouvrir et le révérend et Mme Brown firent leur entrée. La voix tonitruante du révérend emplit aussitôt la pièce. Il salua tout le monde puis il parla avec Mme Tinkham de la maison qu'il avait laissée dans le Massachusetts.

— Cela ne ressemble guère à cet endroit, dit-il. Il est vrai que nous sommes tous des étrangers ici.

Bien que Laura n'aimât pas beaucoup le révérend, il la fascinait. D'après Papa, il se disait être un cousin du John Brown d'Ossawatomie, celui qui avait commis de nombreux meurtres dans le Kansas et dont les actions jouèrent un rôle important dans le déclenchement de la Guerre Civile [1]. Le révérend Brown était tout le portrait du John Brown représenté dans le livre d'histoire de Laura.

Ses pommettes saillaient dans son large visage. Ses yeux, profondément enfoncés sous des sourcils blancs et broussailleux, semblaient

1. N.d.T. : John Brown était un anti-esclavagiste blanc qui tua en 1855 cinq pionniers établis sur les bords de la rivière Pottawatomie (Ossawatomie) sous le prétexte qu'ils étaient pro-esclavagistes. Ensuite, en octobre 1859, encouragé par les abolitionnistes du Nord, Brown s'empara d'un arsenal fédéral dans l'idée d'armer les esclaves. Son coup de main échoua et Brown fut jugé et pendu. Mais cet épisode aggrava la peur et la colère du Sud.

lancer des éclairs de colère même lorsqu'ils souriaient. Un manteau trop vaste laissait toutefois deviner sa corpulence et de larges mains rugueuses aux jointures épaisses dépassaient de ses manches. Il ne semblait pas prendre grand soin de sa personne. Autour de sa bouche, sa longue barbe blanche était toute jaunie comme si elle dégouttait de jus de tabac.

Il parla beaucoup et, après son arrivée, les langues se délièrent un peu. Seules Marie Power et Laura demeurèrent silencieuses. Elles essayaient de rester poliment tranquilles, mais, de temps en temps, elles se trémoussaient sur leur chaise. Il fallut encore attendre un long moment avant que Mme Tinkham n'apportât des assiettes de la cuisine. Une part de gâteau et un petit bol de crème anglaise étaient posés sur chaque assiette.

Quand Laura eut fini de les déguster, elle glissa à l'oreille de Marie Power :

— Rentrons à la maison.

— Oui, allons-y, répondit Marie Power.

Elles posèrent leur assiette vide sur une petite table à côté d'elles, prirent leur manteau et leur capuchon et dirent au revoir à Mme Tinkham.

Quand elles se retrouvèrent dans la rue, Laura poussa un profond soupir de soulagement.

— Ouf! Si c'est ça les réunions de bienfaisance, eh bien, je ne les apprécie guère!

— Et moi non plus, acquiesça Marie Power. Je regrette d'y être allée. J'aurais préféré garder les dix *cents*.

Papa et Maman regardèrent Laura avec surprise quand elle rentra et Carrie s'empressa de demander :

— As-tu passé une bonne soirée, Laura?

— Eh bien, non, dut reconnaître Laura. Tu aurais dû y aller à ma place, Maman. Il n'y avait que des adultes et Marie Power et moi n'avions personne à qui parler.

— C'est la première réunion de bienfaisance organisée ici, fit remarquer Maman. Quand les gens se connaîtront mieux, ces réunions deviendront certainement plus intéressantes. J'ai lu dans *Le Progrès* que les réunions paroissiales avaient beaucoup de succès.

CHAPITRE 18

LA SOCIÉTÉ LITTÉRAIRE

Noël approchait mais la neige ne tombait toujours pas. On n'avait pas encore affronté un seul blizzard. Au petit matin, le sol était blanc de givre qui fondait avec les premiers rayons du soleil. Quand Laura et Carrie se dirigeaient en hâte vers l'école, seules quelques plaques de glace s'attardaient à l'ombre des magasins et sous les trottoirs en bois. Dans le froid qui mordait leur nez et gelait leurs mains malgré leurs moufles, elles restaient silencieuses derrière leur cache-nez.

265

Le vent émettait un son plaintif. Dans le ciel déserté par les oiseaux, le soleil semblait bien petit. Dans la morne Prairie sans fin, les herbes couchées avaient perdu force et vie. Même le bâtiment de l'école paraissait vieux, gris et fatigué.

Tout laissait croire que l'hiver ne commencerait ni ne finirait jamais. Rien ne briserait le rythme monotone de cette vie ponctuée par les trajets vers l'école, les leçons à apprendre à l'école et à la maison. Le lendemain ressemblait à la veille et Laura avait l'impression qu'elle passerait toute sa vie à l'école : quand elle aurait fini d'étudier elle commencerait à enseigner. Même Noël, sans Marie, ne serait pas une vraie fête.

Laura songea que le recueil de poèmes se trouvait toujours dans le tiroir de la commode de Maman. Chaque fois que Laura passait devant la commode située dans la chambre de Maman en haut de l'escalier, elle pensait à ce livre et au poème qu'elle n'avait pas fini de lire.

« " Courage! " dit-il, et il montra la terre, " Cette vague montante, bientôt, nous portera au rivage ". » Elle ne ressentait presque plus rien en pensant à ces vers trop souvent remémorés et l'idée de recevoir ce beau livre de poèmes pour Noël la laissait indifférente.

Le vendredi soir revint. Laura et Carrie

lavèrent la vaisselle comme chaque jour, puis apportèrent leurs livres sur la table éclairée par la lampe. Papa, sur sa chaise, lisait son journal. Maman se balançait dans son fauteuil et on pouvait entendre le bruit bien familier du cliquetis des aiguilles à tricoter. Comme chaque soir, Laura ouvrit son livre d'histoire.

Soudain cette répétition lui parut insupportable. Elle repoussa sa chaise, ferma bruyamment son livre et le posa sans ménagement sur la table. Papa et Maman sursautèrent et la regardèrent, interloqués.

— Tout cela m'est égal, cria-t-elle. Je ne veux pas étudier, jamais de ma vie je ne voudrais enseigner!

Maman prit son air le plus sévère et s'écria :

— *Laura!* S'énerver et lancer ainsi ses affaires est aussi répréhensible que jurer.

Laura ne dit rien.

— Que se passe-t-il, Laura? demanda Papa. Pourquoi ne veux-tu plus apprendre ni enseigner?

— Oh, je ne sais pas, dit Laura au désespoir. Je suis si lasse de tout. Je voudrais... je voudrais qu'il se passe quelque chose. Je voudrais aller plus loin dans l'Ouest. Ou plutôt, je crois que j'ai envie de m'amuser et je sais que ce n'est plus de mon âge, dit-elle, au bord des larmes, attitude très surprenante de la part de Laura.

— Mon Dieu, Laura! s'exclama Maman.

— Tout cela n'est pas grave, dit Papa avec douceur, je pense, Laura, que tu as trop travaillé ces derniers temps, voilà tout.

— Oui, oublie tes livres pour ce soir, ajouta Maman. Dans le dernier numéro des *Compagnons de la Jeunesse,* il y a des histoires que nous n'avons pas encore lues. Tu pourrais nous en lire une, Laura. Est-ce que cela te ferait plaisir?

— Oui, Maman, répondit Laura sans conviction.

Elle n'avait même pas envie de lire une histoire. Elle ne savait pas au juste ce qu'elle voulait vraiment, mais, quoi que ce fût, elle imaginait que ce serait irréalisable. Elle alla chercher la revue des *Compagnons de la Jeunesse* et tira à nouveau sa chaise vers la table.

— Choisis une histoire, Carrie, dit-elle.

Laura, résignée, lut à haute voix. Carrie et Grace écoutaient de toutes leurs oreilles tandis que le fauteuil de Maman se balançait au rythme du cliquetis de ses aiguilles. Papa avait traversé la rue pour aller passer la soirée à la quincaillerie Fuller à discuter avec les autres hommes autour du poêle.

Soudain, la porte s'ouvrit et Papa entra en trombe dans la pièce.

— Caroline, les filles, mettez vos capelines, lança-t-il. Il y a une réunion à l'école.

268

— Ciel... commença Maman.

— Toute la ville s'y rend, poursuivit Papa. Nous allons fonder une société littéraire.

Maman abandonna son tricot.

— Laura et Carrie, habillez-vous pendant que j'emmitoufle Grace, dit-elle.

Elles s'habillèrent en un rien de temps, prêtes à suivre la lanterne allumée de Papa. Maman souffla la lampe et Papa la prit en expliquant :

— Nous ferions mieux de l'apporter avec nous pour éclairer la salle de classe.

Des lanternes avançaient dans la Grand'rue et d'autres les précédaient dans la Deuxième rue obscure. Papa héla M. Clewett qui les devançait. L'instituteur apportait la clé de l'école. A la lueur des lanternes vacillantes, les pupitres avaient un aspect étrange. Papa n'était pas le seul à avoir songé à prendre une lampe. M. Clewett en alluma une sur son bureau et Gerald Fuller enfonça un clou dans le mur pour y suspendre une lampe avec un réflecteur en ferblanc. Ce dernier avait fermé son magasin à l'occasion de cette réunion. Tous les commerçants fermaient leur boutique et accouraient. Presque tous les habitants de la ville se trouvaient là.

Des hommes se pressaient dans le fond de la salle dont tous les sièges étaient occupés quand M. Clewett rappela l'assistance à l'ordre. Il annonça que cette réunion avait pour but l'organisation d'une société littéraire.

— Procédons par ordre, dit-il. Il faudrait en premier lieu établir une liste des membres. Je recueillerai ensuite les voix pour l'élection d'un président temporaire. Ce président entrera aussitôt en fonction et il faudra alors organiser l'élection de membres permanents.

Ce discours laissa tout le monde perplexe et la joie initiale semblait s'être envolée. Il était certes intéressant de connaître qui serait élu président. Papa se leva, et rompit le silence.

— Monsieur Clewett et vous, habitants de la ville, ne pensez-vous pas que nous sommes venus ici pour nous divertir et trouver un peu d'animation. Je ne crois pas qu'il soit nécessaire d'organiser quoi que ce soit. L'expérience m'a appris que lorsqu'on accorde une trop grande importance à l'organisation proprement dite, on en arrive à oublier les buts proposés par celle-ci. Je pense que nous sommes tous d'accord sur ce que nous voulons. Si nous commençons par organiser et élire, il y a de bonnes chances pour que l'unanimité ne soit pas la même. Aussi, je suggère que nous commencions directement, sans membres élus. M. Clewett, l'instituteur, peut faire office d'organisateur. Il pourrait nous donner à chaque réunion le programme de la réunion suivante. Tous ceux qui ont des idées

270

peuvent en faire part et tous ceux qui sont venus se doivent de participer au programme de leur mieux dans le but de faire passer à chacun un agréable moment.

— Bien parlé, Ingalls! s'écria M. Clancy.

Papa regagna sa place, applaudi par beaucoup.

— Que tous ceux qui approuvent la proposition d'Ingalls s'écrient « oui! » déclara M. Clewett en s'adressant à l'assistance.

Un chœur imposant de « oui! » ne laissa aucun doute quant à l'approbation de l'assistance. Il y eut ensuite un moment d'hésitation.

— Nous n'avons aucun programme pour cette réunion, fit remarquer M. Clewett.

— Nous n'allons tout de même pas rentrer chez nous maintenant! lança quelqu'un.

Le coiffeur suggéra qu'on chantât puis un de ses voisins dit :

— Vos élèves pourraient dire des poésies. Qu'en pensez-vous, M. Clewett?

— Que diriez-vous d'un concours d'orthographe? proposa une voix dans la foule.

Cette idée reçut un accueil favorable.

— Oh, oui, d'accord!

— Voilà une bonne idée!

— Faisons donc un concours d'orthographe!

M. Clewett désigna Papa et Gerald Fuller comme chef de chaque équipe. De nombreuses plaisanteries fusèrent lorsqu'ils se dirigèrent chacun dans un coin de la pièce et commencèrent à appeler des noms.

Laura, à sa place, attendait anxieusement. On choisissait en premier les adultes, bien sûr. L'un après l'autre, les concurrents se levaient et les deux équipes grossissaient. Laura redoutait de plus en plus que Gerald Fuller ne l'appelât avant Papa. Elle ne voulait pas concourir contre Papa.

272

Laura était sur des charbons ardents : c'était au tour de Papa de choisir. Il lança un mot d'esprit qui fit rire toute l'assistance mais Laura vit son hésitation. Enfin, il se décida et appela : « Laura Ingalls! »

Laura se dépêcha d'aller prendre place dans la file des concurrents, juste derrière Maman. Gerald Fuller appela ensuite : « Foster! » Dernier adulte appelé, M. Foster se dirigea vers l'équipe adverse, face à Laura. Papa aurait pu le choisir car c'était un adulte, mais il avait préféré appeler Laura. Laura pensa que M. Foster ne devait pas être très fort en orthographe. Il était arrivé à De Smet avec un attelage de bœufs. L'hiver dernier, lors d'une chasse aux antilopes, il avait stupidement sauté au bas de Lady, la jument d'Almanzo Wilder, et l'avait laissée s'enfuir tandis qu'il faisait feu sur le troupeau d'antilopes sans se trouver à portée de fusil.

On finit de choisir les concurrents des deux équipes en appelant tous les élèves de l'école, même les plus jeunes. Les deux files partaient du pupitre de l'instituteur et longeaient les deux murs jusqu'à la porte. Alors M. Clewett ouvrit un livre et le jeu débuta.

Il commença par donner des mots tirés du premier livre d'orthographe :

— Chapeau, loto, pipeau, solo, manteau, héros...

M. Barclay se trompa le premier. Il épela :

— Héros ; h-e accent aigu, hé, r-o, ro, héro.

Les rires qui accueillirent sa réponse lui signalèrent son erreur. Il accepta avec bonne humeur d'avoir perdu et alla se rasseoir.

Les mots devinrent plus longs. Les participants malchanceux allaient se rasseoir d'abord plus nombreux dans l'équipe de Gerald Fuller puis dans celle de Papa qui reprit ensuite l'avantage. L'intérêt pour ce jeu et la bonne humeur générale créaient une ambiance chaleureuse. Laura était dans son élément. Elle aimait beaucoup ce genre d'exercice. Debout, les mains derrière le dos, elle épelait les mots quand venait son tour. Quatre joueurs de l'équipe adverse et trois dans l'équipe de Papa venaient d'être éliminés quand M. Clewett s'adressa à Laura. Elle respira profondément et épela sans hésitation :

— Différenciation ; d-i-f, dif ; f-e accent aigu, fé, diffé ; r-e-n, ren, différen ; c-i-a, cia, différencia ; t-i-o-n, tion, différenciation !

Les perdants retrouvaient leur banc et remplissaient la salle de classe de rires joyeux. Finalement, il ne resta plus que six joueurs dans l'équipe de Gerald Fuller et cinq dans celle de Papa : Papa, Maman, Florence Garland, Ben Woodworth et Laura.

— Extension, dit M. Clewett.

Un joueur de l'équipe de Gerald Fuller fit une faute et les deux équipes retrouvèrent un nombre égal de participants. Ce fut au tour de Maman. De sa douce voix, elle épela :

— Extension ; e-x, ex ; t-e-n, ten, exten ; s-i-o-n, sion, extension !

— Hippopotame, proposa M. Clewett.

Gerald Fuller épela :

— Hippopotame ; h-i, hi ; deux p-o, ppo, en regardant M. Clewett. H-i, hi ; p-o... Bon, je donne ma langue au chat, déclara-t-il et il regagna sa place.

Florence Garland lui succéda :

— Hippopotame ; h-i, h-i ; deux p-o, ppo, hippo ; deux p-o, ppo, hippoppo...

Pourtant, elle avait été institutrice.

Le concurrent de l'équipe adverse perdit à son tour. Quant à Ben, il hocha la tête et alla se rasseoir sans même tenter sa chance. Laura se tenait très droite, impatiente d'épeler, écoutant le joueur de l'équipe rivale, M. Foster :

— Hippopotame, commença-t-il. H-i, hi ; deux p-o, po, hippo ; p-o, po, hippopo ; t-a, ta, hippo-pota ; m-e, me, hippopotame !

Les applaudissements crépitèrent et un homme cria :

— Bravo, Foster !

M. Foster avait ôté sa veste et dans sa chemise à carreaux, il avait l'air gauche mais ses yeux pétillaient. Personne n'aurait imaginé qu'il fût si fort en orthographe.

Les mots de plus en plus difficiles se succédaient à un rythme croissant, tirés de la liste des mots pleins de pièges de la fin du livre d'orthographe. Dans l'équipe adverse, il ne restait plus que M. Foster. Maman se trompa à son tour. Seuls Papa et Laura continuaient à concourir contre M. Foster.

Les trois concurrents déjouaient toutes les difficultés orthographiques. Papa, M. Foster et Laura puis à nouveau M. Foster épelèrent au milieu d'un grand silence. Ce dernier était seul contre deux et il semblait imbattable.

— Xanthophylle, annonça alors M. Clewett.

A sa propre surprise, Laura se sentit décontenancé. Les yeux fermés, elle voyait presque ce mot écrit à sa place parmi les autres sur la dernière page du livre, mais elle n'arrivait pas à le retrouver entièrement. Le silence qui s'installa, rendu plus pesant par tous ces yeux braqués sur elle, lui parut interminable.

— Xanthophylle, répéta-t-elle, désespérée et elle épela rapidement :

— X-a-n, xan ; t-h-o, tho, xanto ; p-h...

Laura pensa tout à coup au mot : « Xénophile », et elle ajouta sans réfléchir :

— i-l-e?

M. Clewett hocha la tête négativement.

Laura alla se rasseoir toute tremblante.

Papa restait seul face à M. Foster.

Celui-ci s'éclaircit la gorge et dit :

— Xanthophylle; x-a-n, xan; t-h-o, tho, xantho; p-h-y...

Laura retenait son souffle et toute l'assistance avec elle.

— ...l-, dit M. Foster.

M. Clewett attendait. M. Foster n'ajoutait rien. On pouvait entendre une mouche voler. M. Foster déclara en fin de compte :

— Bon, je m'avoue vaincu.

Il alla rejoindre sa place parmi les applaudissements qui le récompensaient de sa performance. Ce soir-là, il avait gagné l'estime de tous.

— Xanthophylle, reprit Papa.

Dorénavant, ce mot prenait l'allure d'un véritable traquenard insurmontable, mais Laura pensait : « Papa peut y arriver, il le *doit,* il *y arrivera!* »

— X-a-n, xan, commença Papa, t-h-o, tho, xantho; p-h-y, phy...

L'assistance restait suspendue à ses lèvres.

— Deux l, e, xanthophylle! dit Papa enfin.

M. Clewett referma le livre d'orthographe. Un tonnerre d'applaudissements accueillit sa victoire. Papa était le meilleur en orthographe de toute la ville.

Alors, on se rhabilla dans la joie et l'excita-tion générale.

— Je crois que je ne me suis jamais tant amusée, dit Mme Bradley à Maman.

— Et dire qu'il y a une autre réunion vendredi prochain, n'est-ce pas merveilleux? fit remarquer Mme Garland.

La foule se dispersa par petits groupes qui poursuivirent les joyeux bavardages et la procession de lanternes vacillantes se dirigea vers la Grand'rue.

— Alors, tu te sens mieux, Laura? demanda Papa.

— Oh, oui. Papa! Quelle formidable soirée!

CHAPITRE 19

DE NOMBREUSES RÉJOUISSANCES

A présent, l'attente impatiente du vendredi soir ponctuait les semaines. Après la seconde réunion de la société littéraire, tous ses participants voulurent faire assaut d'imagination et presque chaque jour affluaient de nouvelles propositions.

La seconde réunion fut entièrement consacrée à des rébus mimés et Papa se distingua particulièrement lors de cette soirée car personne ne put deviner le sien. Sur le chemin du retour, Laura entendit M. Bradley qui disait :

— Il faudrait que nous fassions un petit effort pour être à la hauteur de cet ingénieux Ingalls!

Et Gerald Fuller répliqua :

— Je pense qu'il y a assez de bons musiciens à De Smet pour une soirée musicale, qu'en dites-vous?

Une séance musicale eut effectivement lieu le vendredi suivant. Papa joua du violon et Gerald Fuller de l'accordéon et ils jouèrent si bien qu'ils transportèrent toute l'assistance qui bissait les musiciens dès qu'ils s'arrêtaient.

Il semblait qu'aucune autre soirée ne pourrait surpasser celle-ci. Toute la ville maintenant se passionnait pour ces réunions et des familles venaient en chariot depuis leur concession pour y assister. Les talents d'organisateurs des hommes de la ville n'en furent que stimulés davantage. Ils projetèrent un autre concert, plus extraordinaire encore. Ils empruntèrent l'harmonium de Mme Bradley pour répéter.

Le vendredi venu, ils enveloppèrent soigneusement l'harmonium dans des courtepointes et des couvertures, le chargèrent sur le chariot de M. Foster tiré par un attelage de bœufs et, avec d'infinies précautions, le transportèrent jusqu'à l'école. C'était un très bel harmonium en bois brillant, au pédalier recouvert d'un capiton et avec un beau tissu rouge apparaissant au travers du pupitre en bois ajouré. De chaque côté du pupitre, deux petites plaques rondes étaient destinées à recevoir une lampe.

On avait déplacé le bureau de l'instituteur pour installer l'harmonium sur l'estrade. M. Clewett avait inscrit le programme au tableau noir. On entendrait d'abord l'harmonium en solo puis un morceau pour harmonium et violon, avec Papa au violon et, en dernier lieu, une succession de quatuors, duos et solos vocaux accompagnés à l'harmonium.

La chanson que chanta Mme Bradley émut profondément Laura. Des sanglots lui nouèrent la gorge.

« *Passé, doux passé...*
Ô temps, arrête-toi
Et laisse-moi ce soir
Redevenir petit enfant. »

Une larme qu'elle ne put dissimuler à temps dans son mouchoir glissa le long de la joue de Maman. Toutes les dames tamponnaient leurs yeux et les messieurs s'éclaircissaient la gorge et reniflaient.

Tout le monde pensa une fois encore qu'il serait impossible de faire mieux que cette soirée, mais Papa dit d'un ton mystérieux :

— Attendez, attendez, vous verrez...

De surcroît, le toit de l'église étant enfin

achevé, deux offices étaient célébrés chaque dimanche. L'école du dimanche avait repris également.

C'était une belle église bien que très dépouillée du fait de sa construction récente. Aucune cloche ne se balançait dans le campanile et les murs de planches demeuraient sans revêtement. Les murs extérieurs n'avaient pas encore cette patine grise que prodiguait le temps. Le pupitre du prédicateur et les longs bancs sentaient le bois neuf. Dans la petite entrée, on disposait de la place nécessaire pour mettre en ordre ses vêtements dérangés par le vent et frapper ses souliers contre le sol pour les débarrasser de la neige avant d'entrer dans l'église. Une douce chaleur y régnait tant à cause des gens assemblés que du poêle et l'harmonium prêté par Mme Bradley accompagnait les chants.

Laura suivait avec plaisir les prêches du révérend Brown. Elle était assez peu sensible à ses paroles, mais il lui apparaissait comme la vivante image du John Brown si souvent contemplée dans son livre d'histoire. Ses yeux lançaient des éclairs, sa moustache et sa barbe blanches tressautaient, ses grandes mains se déployaient et se refermaient et ses poings serrés s'abattaient avec bruit sur le pupitre avant de s'agiter dans les airs. Laura s'amusait aussi à changer mentalement les phrases entendues pour

faire des exercices de grammaire. Elle n'avait pas besoin de se souvenir du prêche car à la maison, Papa lui demandait seulement, ainsi qu'à Carrie, de répéter correctement le texte après lui. Le prêche terminé, on chantait à nouveau.

Laura aimait par-dessus tout, le cantique dix-huit, quand tout le monde chantait avec foi, soutenu par la voix de l'harmonium :

« *Nous avançons, notre houlette à la main*
Dans une contrée déserte, sur un sol étranger,
Mais notre foi est pure et notre cœur léger
En suivant le chemin du pèlerin. »

Puis, chantant à pleins poumons jusqu'à couvrir la voix de l'harmonium, ils reprenaient tous en chœur :

« *C'est le chemin que nos pères ont suivi avant nous,*
C'est le chemin qui nous conduit à Dieu.
C'est le seul sentier vers le royaume des Cieux,
Sur le chemin du pèlerin, AVANÇONS-NOUS! »

Avec l'école du dimanche et l'office du matin, le déjeuner, la vaisselle et à nouveau un office en fin d'après-midi, les dimanches passaient très vite. Le lundi, l'école reprenait ainsi que l'attente fébrile du vendredi soir. On avait tant à dire sur la soirée de la veille, que le samedi semblait trop court, puis c'était à nouveau le dimanche.

Comme si tout cela ne suffisait pas, l'Association des Dames de charité avait décidé une célébration commune de Thanksgiving[1] avec un dîner, selon la tradition de la Nouvelle-Angleterre, organisé au profit de l'église.

Laura se dépêcha de rentrer de l'école pour aider Maman à éplucher, couper en tranches et faire cuire la plus grosse des citrouilles que Papa avait fait pousser l'été dernier. Elle tria et lava aussi avec soin de petits haricots blancs. Maman allait faire une énorme tourte à la citrouille et cuire une pleine grosse marmite de haricots qu'elle apporterait au dîner de Thanksgiving de la paroisse.

Le jour de Thanksgiving, l'école resta fermée, car c'était un jour férié. Il n'y eut pas non plus de repas de Thanksgiving à midi. Ce fut une journée étrange et déconcertante, passée à surveiller anxieusement la cuisson de la tourte et des haricots et à attendre la tombée de la nuit. Durant l'après-midi, ils prirent à tour de rôle un bain dans la cuisine, dans le baquet à lessive. C'était étrange de prendre un bain un jeudi et de plus au beau milieu de l'après-midi.

---

1. N.d.T. Le jour de Thanksgiving est le jour d'Actions de Grâces institué par les Pères Fondateurs pour remercier Dieu de les avoir conduits sains et saufs jusqu'au rivage américain. Cette fête est célébrée le dernier jeudi de novembre.

Laura brossa soigneusement sa robe d'école, peigna et tressa ses cheveux et frisa sa frange. Maman revêtit l'une de ses belles robes et Papa tailla sa barbe et sa moustache avant d'enfiler son complet du dimanche.

Quand l'obscurité tomba, ils avaient tous grand-faim. Maman enveloppa la grosse marmite de haricots dans du papier d'emballage, puis dans un châle afin de les garder bien au chaud tandis que Laura emmitouflait Grace dans ses vêtements avant d'enfiler rapidement son propre manteau et son capuchon. Papa porta la marmite de haricots et Maman n'avait pas trop de ses deux mains pour soutenir l'immense moule carré en fer-blanc contenant la merveilleuse tourte à la citrouille. Laura et Carrie tenaient chacune d'une main l'anse du panier plein des assiettes de Maman et, de sa main libre, Laura tenait celle de Grace.

Après avoir dépassé l'angle du magasin Fuller, ils aperçurent, au-delà des terrains à bâtir, l'église tout illuminée. Tout autour de celle-ci, se pressaient des chariots, des attelages et des poneys de selle et les gens se dirigeaient vers la lumière diffuse de son entrée.

A l'intérieur de l'église, toutes les appliques étaient allumées. Les réservoirs en verre étaient pleins à ras bords de pétrole et à l'intérieur des verres de lampe, brillait une flamme éblouissante réfléchie par les réflecteurs en fer-blanc. Tous les bancs avaient été repoussés contre le mur et, au milieu de la salle, sur deux longues tables recouvertes de nappes blanches, miroitaient mille merveilles.

— Oh, regarde! s'écria Carrie.

Ce spectacle stupéfia Laura pendant un instant. Même Papa et Maman semblèrent un peu saisis mais ils cachèrent leur surprise car un adulte ne doit jamais laisser transparaître ses sentiments, ne fût-ce que par une intonation de voix ou par un geste. Aussi Laura se contenta-t-elle de regarder. Elle apaisa gentiment Grace bien qu'elle se sentît aussi émoustillée et troublée que Carrie.

Un cochon rôti tenant dans sa bouche une pomme écarlate trônait au beau milieu de la table.

La délicieuse odeur de porc rôti venait s'ajouter à d'autres appétissantes senteurs s'exhalant des plats posés sur les tables.

Laura et Carrie n'avaient jamais contemplé de toute leur vie une telle profusion de nourriture. Les tables regorgeaient de toutes sortes de mets. Des filets de beurre fondu dégouttaient le long de montagnes de purée de pommes de terre, de purée de navets et de purée de potirons. De grands saladiers, remplis à ras bords de grains de maïs cuits à la crème avoisinaient toutes sortes de pains, des pains blancs et des pains bis, des pains complets au délicieux goût de noisette sans compter des galettes de maïs. On trouvait aussi des concombres, des betteraves et des tomates vertes préparés comme condiments ainsi que des coupes en verre remplies de sauce tomate ou de gelée de merises. Sur chaque table, une croustade de volaille logée dans une grande tourtière laissait échapper un délicieux fumet par les fentes de sa croustillante pâte feuilletée.

Rien toutefois ne pouvait rivaliser avec l'étonnant porc rôti. Calé par de petits bâtons, il se tenait droit, comme s'il était encore vivant, au-dessus d'un immense plat garni de pommes au four. Quelles délicieuses odeurs ! L'effluve qui s'exhalait de ce porc rôti bien gras et doré à point surpassait toutes les autres.

Les gens avaient déjà pris place à table, se servaient ou se resservaient, se passant les plats, mangeant et bavardant. On avait déjà découpé dans un des flancs du porc de belles tranches de viande blanche entourées de lard.

Laura entendit un homme qui demandait en présentant son assiette pour être resservi :

— Combien pèse cet animal ?

Et l'homme qui découpait le cochon, répondit en taillant une tranche épaisse :

— J'sais pas exactement, mais tout habillé il faisait bien ses soixante-dix kilos.

Il n'y avait plus une seule place libre autour des tables. Mme Tinkham et Mme Bradley s'affairaient autour des convives, se faufilant entre les épaules pour resservir le thé ou le café. D'autres dames débarrassaient les assiettes sales pour en disposer de propres. Dès que quelqu'un avait fini de dîner et se levait, sa place était aussitôt occupée bien que le repas coûtât cinquante *cents*. L'église était déjà bondée et d'autres personnes arrivaient encore.

Tout cela était nouveau pour Laura. Elle se sentait perdue et ne savait pas trop quoi faire quand elle aperçut Ida qui était très occupée à laver la vaisselle sur une table poussée dans un coin. Maman aidait déjà à servir, aussi Laura se décida-t-elle à seconder Ida.

— As-tu apporté un tablier? demanda Ida. Epingle donc ce torchon sur ta robe car je risque de t'éclabousser.

Ida avait retroussé ses manches et enfilé un large tablier sur sa robe et, tout en lavant les assiettes à une vive cadence, elle riait et bavardait. Laura essuyait, s'efforçant de suivre son rythme.

— Ce dîner est vraiment réussi, se réjouit Ida. Pensais-tu qu'il y aurait autant de monde?

— Non! répondit Laura. Crois-tu qu'il nous restera quelque chose à manger? chuchota-t-elle ensuite.

— Oh oui, dit Ida avec assurance. Maman Brown a veillé à cela, ajouta-t-elle à voix basse, elle a mis de côté deux délicieuses tourtes et un gâteau fourré.

Laura ne s'inquiétait pas trop au sujet des tourtes et des gâteaux. Elle souhaitait surtout qu'il restât un peu de porc quand viendrait son tour de s'asseoir à table.

Quand Papa parvint à s'installer avec Carrie et Grace, le porc n'avait pas encore été entièrement englouti. Laura jetait de temps en temps un coup d'œil vers eux tout en essuyant et elle les vit manger de bon appétit. Aussitôt que les assiettes et les tasses étaient essuyées, quelqu'un les emportait vers les tables tandis que plus vite encore — semblait-il — on en rapportait de sales qui s'empilaient autour de la bassine.

— Nous avons vraiment besoin d'aide ici, dit Ida d'un ton enjoué.

Personne n'avait prévu une telle foule. Maman était fort affairée comme d'ailleurs la plupart des femmes présentes. Laura continua bravement à essuyer les assiettes. Elle ne voulait pas laisser Ida toute seule face à une telle vaisselle. Pourtant à mesure que sa faim augmentait, son espoir de pouvoir l'apaiser diminuait.

Il se passa encore un long moment avant que les tables ne se libèrent. Finalement, les membres de l'Association des Dames de charité, Laura et Ida furent les seules personnes à garder le ventre creux. Alors les assiettes, les tasses, les couteaux, les cuillers et les fourchettes furent à nouveau lavés et essuyés et on remit le couvert sur une table autour de laquelle elles purent enfin prendre place. Dans l'immense plat où trônait le porc, il ne restait plus que des os mais Laura constata avec joie qu'il y avait encore de la viande autour et que toutes les croustades de volaille n'avaient pas été englouties. Mme Brown apporta alors le gâteau fourré et les tourtes mises de côté.

Laura et Ida purent enfin se régaler et se reposer un moment. Les dames s'échangèrent des compliments sur leurs dons culinaires et parlèrent du succès de ce repas. Un bruit confus de voix montait des bancs poussés contre les murs et du voisinage du poêle où les hommes s'étaient assemblés pour bavarder.

Les tables furent enfin débarrassées et Laura et Ida se remirent à laver et à essuyer tandis que les dames triaient la vaisselle et la rangeaient dans leurs paniers ainsi que la nourriture qu'il restait. C'était tout à l'honneur de Maman qu'on n'eût pas laissé une bouchée de tourte à la citrouille ni même quelques haricots. Ida lava la tourtière et la marmite, Laura les essuya et Maman les rangea dans son panier.

Mme Bradley s'était mise à l'harmonium et Papa ainsi que quelques autres personnes chantaient, mais Grace s'était endormie et il était temps de rentrer à la maison.

Sur le chemin du retour, Papa porta Grace, laissant à Maman le soin de les éclairer avec la lanterne, Laura et Carrie transportant le lourd panier.

— Tu dois être fatiguée, Caroline, mais ta réunion de Dames de charité a été un véritable succès.

— En effet, je *suis* fatiguée, acquiesça Maman.

Au grand étonnement de Laura, on pouvait percevoir un léger agacement dans le ton de sa voix.

— Mais ce n'était pas une réunion, ajouta-t-elle, c'était un dîner selon la tradition de la Nouvelle-Angleterre.

Papa ne dit rien. La pendule sonnait onze coups quand il mit la clé dans la serrure. Le lendemain matin, l'école reprenait mais le lendemain soir, il y avait la société littéraire.

Ce soir-là, un débat devait avoir lieu sur le thème : « Lincoln, un plus grand homme d'Etat que Washington ? » Laura avait hâte d'y assister car M. Barnes, un homme de loi, défendait la supériorité de Lincoln et son argumentation serait certainement brillante.

— Cela sera très intéressant, dit Laura à

Maman tandis qu'elles se dépêchaient de se préparer pour s'y rendre.

Laura essayait de se trouver de bonnes raisons pour y aller car elle aurait dû passer la soirée à étudier. Déjà deux soirs de cette semaine s'étaient écoulés sans qu'elle ouvrît un livre. Elle pensait rattraper ce retard pendant les quelques jours de vacances au moment de Noël.

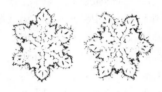

On avait envoyé à Marie un colis de Noël. Maman avait glissé dedans la mantille que Laura avait faite au crochet avec une laine moelleuse et duveteuse aussi blanche que les gros flocons de neige qui tombaient doucement de l'autre côté des carreaux. Elle y avait joint le col de dentelle en fil blanc très fin qu'elle avait tricoté et les six mouchoirs que Carrie avait ourlés ; elle avait même garni trois d'entre deux d'un étroit galon de dentelle. Grace ne pouvait pas encore confectionner de tels présents, mais elle avait économisé des sous pour acheter cinquante centimètres de ruban bleu et Maman en avait fait un joli nœud que Marie pourrait épingler à son col de dentelle. Ils écrivirent ensemble une longue lettre de Noël et Papa glissa dans l'enveloppe un billet de cinq dollars.

— Elle pourra ainsi acheter les petites choses dont elle a besoin, expliqua-t-il.

Le professeur avait écrit pour faire l'éloge de son élève. La lettre disait aussi que Marie pourrait envoyer un de ses ouvrages en perles si elle pouvait acheter des perles et qu'elle avait besoin d'une ardoise spéciale ; il serait peut-être même souhaitable qu'elle en possédât plus tard une sur laquelle on écrivait en braille, l'écriture que les aveugles lisent avec leurs doigts.

— Marie saura que nos pensées l'accompagnent en ce jour de Noël, dit Maman et ils se sentirent particulièrement heureux de savoir le colis en route.

Toutefois, ce Noël sans Marie ne pouvait pas être une vraie fête. Seule Grace se fit une réelle joie de défaire ses paquets quand ils se retrouvèrent tous autour de la table du petit déjeuner pour découvrir leurs présents de Noël. Sur son assiette, Grace trouva une vraie poupée avec une tête et des mains en porcelaine et de petits chaussons noirs cousus sur ses pieds de chiffon. Papa lui avait confectionné un berceau en fixant des pieds courbes sous une boîte de cigares. Laura, Carrie et Maman avaient cousu de petits draps, un oreiller et une minuscule courtepointe en patchwork et elles avaient habillé et coiffé la

294

poupée d'une chemise de nuit et d'un bonnet de nuit. Cette jolie poupée comblait Grace de joie.

Laura et Carrie s'étaient cotisées pour acheter un dé en argent à Maman et une cravate en soie bleue à Papa. Sur son assiette, Laura trouva le recueil bleu et or de poèmes de Tennyson. Papa et Maman ne soupçonnèrent pas que Laura en connaissait l'existence. Ils avaient aussi acheté dans l'Iowa un livre pour Carrie, *Les Histoires de la lande,* qu'ils avaient tenu caché.

Ce fut ainsi qu'on célébra Noël. Ses tâches matinales terminées, Laura s'assit pour lire enfin *Les mangeurs de lotus.*

Même cette lecture se révéla décevante car dans ce pays où il semblait qu'il fût toujours l'après-midi, les marins ne surent pas apprécier leur bonheur et ne purent rester bons. Ils pensèrent que vivre dans ce pays magique leur était dû et ils commencèrent à se plaindre. Ils ne sortirent de leur torpeur que pour se lamenter. « Pourquoi devons-nous à jamais gravir la vague qui monte? » Quelle question! s'indigna Laura. N'est-ce pas le lot du marin de gravir la vague qui monte? Mais non, ils voulaient rêver à leur aise. Laura referma violemment le livre.

Laura savait que ce livre contenait certainement de magnifiques poèmes, mais Marie lui manquait trop pour qu'elle eût le cœur à les lire. Sur ces entrefaites, Papa revint en hâte de la poste avec une lettre. Ils n'en reconnurent pas l'écriture, mais elle était signée « Marie »! Elle expliquait dans la lettre qu'elle avait placé la feuille sur une plaque de métal gravé et, en suivant les encoches avec un crayon à mine, elle traçait les lettres. Cette lettre était son cadeau de Noël.

Marie écrivait qu'elle se plaisait bien au collège et que les professeurs étaient contents d'elle. Elle apprenait à lire et à écrire le braille. Elle aurait aimé se trouver parmi eux pour Noël mais elle savait qu'ils penseraient tous à elle en ce jour tout comme elle penserait à eux.

Après la lecture de la lettre de Marie, la journée s'écoula paisiblement. « Si Marie était là, comme elle apprécierait les soirées littéraires! » soupira Laura.

Elle se mit à songer soudain combien les choses avaient rapidement changé. Marie ne reviendrait pas habiter à la maison avant six ans et alors rien ne serait plus comme avant. Une page était tournée.

Laura ne profita guère des vacances de Noël pour étudier et le mois de janvier passa si vite qu'elle ne trouva pas le temps de souffler. L'hiver était si clément que l'école ne fut pas fermée un seul jour. Chaque vendredi soir avait lieu une soirée littéraire toujours plus captivante que la précédente. On put admirer les personnages de cire de Mme Jarley. Ce soir-là, tout le monde vint de kilomètres à la ronde. Des chevaux, des chariots, des poneys de selle étaient à l'attache autour de l'école et parmi eux se trouvaient les chevaux *Morgan* soigneusement recouverts d'une couverture. Almanzo Wilder avait pris place au côté de Cap Garland dans la salle de classe bondée. Des draps blancs formaient un rideau dissimulant l'estrade à la vue des spectateurs. Quand on tira le rideau, l'assistance retint son souffle en découvrant le long du mur et de chaque côté de l'estrade une rangée de personnages en cire, grandeur nature.

Du moins, on aurait vraiment dit qu'ils étaient en cire.

Tous les personnages, avec des sourcils peints en noir et des lèvres rouges qui tranchaient sur leur visage blanc cireux, étaient drapés dans un linge blanc, aussi immobiles que des statues.

Après avoir laissé le temps à l'assistance de contempler ces personnages, Mme Jarley surgit de derrière le rideau. Personne ne la connaissait. Elle portait une ample robe noire et était coiffée d'une capeline. Dans sa main, elle tenait la longue baguette de l'instituteur.

D'une voix grave, elle dit :

— George Washington, je te l'ordonne, reprends vie et avance!

Et, de sa baguette, elle toucha un personnage.

Le personnage se mit à bouger avec des mouvements courts et saccadés. Son bras se leva et, des plis du drap blanc, surgit une main qui semblait en cire et tenait une hachette. Le bras gesticula de manière heurtée et brandit la hachette.

Mme Jarley appela chaque personnage par son nom, le toucha de la baguette et l'un après l'autre, ils s'animèrent. Daniel Boone chargea un fusil, la reine Elisabeth mit et enleva une couronne dorée tandis que Sir Walter Raleigh, d'une main raide, portait une pipe à sa bouche.

Tous les personnages se mirent en mouvement. Ils bougeaient si bien comme des automates de cire qu'on avait du mal à croire que ce fussent des humains.

Quand on ferma le rideau, l'assistance qui avait retenu son souffle respira profondément et applaudit à tout rompre. Tous les personnages de cire, redevenus humains, revinrent devant le rideau tandis que les acclamations redoublaient. Mme Jarley enleva sa capeline et Gerald Fuller apparut. Sous la couronne et la perruque de la reine Elisabeth se cachait M. Bradley. Le joyeux tapage de l'assistance semblait ne devoir jamais finir.

— Ce spectacle dépasse tout ce que nous avons vu jusqu'à présent, déclara Maman sur le chemin du retour.

— On ne sait jamais! dit Papa avec l'air d'en savoir long pour la taquiner. Toute la ville est en effervescence à présent.

Le lendemain, Marie Power vint rendre visite à Laura et elles parlèrent pendant tout l'après-midi des personnages de cire. Ce soir-là, lorsque Laura s'installa pour travailler, elle ne fit rien d'autre que bâiller.

— Je ferais aussi bien d'aller me coucher, j'ai trop som..., dit-elle avant un bâillement à s'en décrocher la mâchoire.

— Cela fait deux soirs de suite que tu ne travailles pas, fit remarquer Maman, et demain soir, nous allons à l'église. Ces derniers temps les réjouissances se succèdent à un rythme si rapide que vraiment... Mais, j'entends frapper, ce me semble.

On frappa à nouveau et Maman alla ouvrir. C'était Charley qui refusa d'entrer. Maman prit l'enveloppe qu'il lui remit et referma la porte.

— C'est pour toi, Laura, dit-elle.

Carrie et Grace ouvrirent de grands yeux ronds et Papa et Maman se regardèrent en silence tandis que Laura lisait l'adresse écrite sur l'enveloppe. « Mademoiselle Laura Ingalls, De Smet, Territoire du Dakota. »

— Qu'est-ce que cela peut bien être? dit-elle.

Elle ouvrit soigneusement l'enveloppe avec une épingle à cheveux et en sortit une feuille de papier à lettres pliée et bordée d'un liséré doré.

Elle la déplia et lut tout haut :

Ben M. Woodworth
vous prie de bien vouloir
lui faire l'honneur de votre visite
Le samedi 28 janvier au soir

Dîner à huit heures

Comme Maman le faisait parfois, Laura se laissa tomber sur une chaise. Maman lui prit l'invitation des mains et la relut.

— C'est une partie, dit Maman, une partie avec un dîner !

— Oh, Laura, tu es invitée à un dîner ! s'écria Carrie. C'est quoi une partie ? ajouta-t-elle.

— Je ne sais pas, dit Laura. Oh, Maman, que vais-je faire ? Je n'ai jamais été invitée à un dîner. Comment doit-on se conduire ?

— Tu as appris à te tenir correctement en n'importe quelle occasion, répondit Maman. Tu verras bien toi-même comment te comporter.

Maman avait certainement raison mais Laura ne s'en trouva pas soulagée pour autant.

CHAPITRE 20

LE DÎNER
D'ANNIVERSAIRE

Pendant toute la semaine suivante, Laura pensa à la soirée du samedi. Elle avait à la fois le désir et l'appréhension de s'y rendre. Lorsqu'elle était petite, elle avait été invitée à un goûter d'enfants chez Nelly Oleson. Cette fois-ci, ce serait différent.

A l'école, Ida, Marie Power et Minnie partageaient l'impatience de Laura. Arthur avait expliqué que ce serait un dîner d'anniversaire en l'honneur de Ben. Par politesse, elles évitaient d'en parler car Nelly passait avec elles les

301

récréations et elle n'avait pas été invitée. De toute façon, Nelly n'aurait pas pu venir, car elle habitait à la campagne.

Le soir du dîner, Laura était habillée et fin prête à sept heures tapantes. Elle devait faire le trajet jusqu'à la gare en compagnie de Marie Power mais celle-ci n'arriverait pas avant une demi-heure.

Laura essaya de relire son poème préféré de Tennyson :

« *Viens au jardin, Maud,*
La chauve-souris s'est envolée,
Viens au jardin, Maud,
Je suis là qui t'attends à la grille ;
Du chèvre-feuille s'exhalent des bouffées enivrantes
Et la rose muscade embaume l'air. »

Elle n'arrivait pas à tenir en place. Elle alla jeter un nouveau coup d'œil dans le miroir accroché au mur. Elle souhaitait tant être grande et mince, qu'elle espérait que le miroir lui renverrait l'image d'une grande jeune fille élancée. Mais elle n'y vit qu'une petite fille ronde en robe de cachemire bleue.

C'était au moins une vraie robe de jeune fille qui cachait le haut de ses bottines, et aussi froncée que possible derrière. Le corsage, très ajusté, se boutonnait juste sous le menton par

302

une rangée de petits boutons verts et se terminait en pointe sur le devant et dans le dos. Un galon écossais bleu, doré et vert bordait la jupe juste au-dessus de l'ourlet et une bande du même écossais garnissait la pointe du corsage et les poignets des manches étroites. Le col droit, également écossais, était doublé d'un ruché de dentelle blanche et Maman avait prêté à Laura sa broche en nacre pour la fixer sur le col.

Laura n'avait rien à reprocher à cette robe. Mais comme elle aurait voulu être aussi grande et svelte que Nelly Oleson! Sa taille avait la robustesse d'un jeune arbre et ses bras, quoique fins, accusaient quelques rondeurs. Ses très petites mains étaient plutôt potelées et semblaient faites pour abattre de la besogne. Elles n'avaient rien de commun avec les mains fines et délicates de Nelly.

Le visage qui se reflétait dans la glace n'offrait qu'une série de lignes courbes. Le menton s'arrondissait doucement, la ligne de la bouche était rehaussée par la courbe marquée et étroite de la lèvre supérieure. Ce visage aurait présenté un profil grec s'il n'y avait eu un je ne sais quoi d'impertinent dans la ligne du nez. Laura pensait que ses yeux étaient trop écartés et trop pâles et qu'elle avait un regard inquiet dépourvu d'éclat.

Une frange frisée garnissait son front. Ses cheveux étaient certes longs et épais, mais ils n'avaient pas la blondeur des blés. Ils étaient tirés en arrière depuis la frange puis enroulés en un épais chignon qui couvrait toute la partie postérieure de la tête. Ce chignon pesait lourd et donnait à Laura l'impression d'avoir vraiment vieilli. Elle tourna lentement la tête afin d'admirer le reflet de la lueur de la lampe dans ses cheveux bruns et soyeux. Mais tout à coup elle prit conscience que se contempler ainsi faisait preuve d'une grande vanité.

Elle alla à la fenêtre. Marie Power ne se montrait toujours pas. Laura redoutait tant ce dîner, qu'elle eut envie de ne plus y aller.

— Assieds-toi et détends-toi, Laura, lui recommanda gentiment Maman.

A ce moment précis, Laura aperçut Marie Power. Elle enfila fiévreusement son manteau et son capuchon.

Marie Power et Laura remontèrent silencieusement la Grand'rue, puis elles longèrent la voie ferrée jusqu'à la gare où habitaient les Woodworth. Les fenêtres du premier étage étaient vivement éclairées et une lampe était allumée au rez-de-chaussée, dans le bureau où Jim, le frère aîné de Ben, travaillait encore. Jim était télégraphiste. Les cliquetis du télégraphe électrique résonnaient dans la nuit glacée.

— Je suppose qu'il faut aller dans la salle d'attente, dit Marie Power. Devons-nous frapper ou rentrer directement?

— Je ne sais pas, avoua Laura, singulièrement réconfortée par le manque d'assurance de Marie Power.

Sa gorge restait toutefois serrée et ses poignets tremblaient. La salle d'attente de la gare était un lieu public mais la porte était fermée et, ce soir, il y avait un dîner.

Marie Power hésita encore un peu avant de frapper. Elle frappa doucement mais le bruit les fit sursauter toutes deux. Personne ne vint ouvrir.

— Entrons donc, dit hardiment Laura.

Au moment où elle mettait la main sur la poignée, Ben Woodworth ouvrit la porte.

Laura s'en trouva si troublée qu'elle ne put répondre à son : « Bonsoir! ». Ben portait son costume du dimanche et un col dur. Il avait humidifié et soigneusement peigné ses cheveux. Il ajouta :

— Mère est au premier.

Elles traversèrent la salle d'attente derrière Ben et montèrent les escaliers pour se retrouver dans un petit couloir où la mère de Ben les attendait. De petite taille comme Laura, mais plus ronde, elle était l'élégance personnifiée dans sa soyeuse robe grise au jabot et aux manchettes d'un blanc de neige. Son air avenant mit aussitôt Laura à l'aise.

Laura et Marie retirèrent leurs manteaux dans une chambre dont le raffinement était à l'image de Mme Woodworth. Elles hésitèrent à poser leurs affaires sur le lit si soigné avec son dessus-de-lit en coton blanc tricoté et ses oreillers aux enveloppes tuyautées. De fins rideaux froncés en mousseline blanche étaient tirés en un joli drapé de chaque côté des fenêtres et sur le petit guéridon, garni d'un napperon de dentelle, était posée une lampe. On retrouvait la même dentelle sur le dessus de la commode, ainsi que sur le haut du cadre du miroir, savamment drapée, pour parfaire l'harmonie.

Marie Power et Laura se regardèrent dans la glace et, du bout de leurs doigts, firent bouffer leur frange que les capuchons avaient légèrement aplaties. Ensuite, Mme Woodworth leur dit très gentiment :

— Si vous avez fini de vous faire une beauté, vous pouvez passer au salon.

Ida et Minnie, Arthur, Cap et Ben se trouvaient déjà là. Toujours souriante, Mme Woodworth ajouta :

— Quand Jim aura terminé son travail, il ne manquera plus personne.

Elle s'assit et commença à bavarder aimablement avec eux.

La douce lueur de la lampe et la chaleur du poêle rendaient la pièce très chaleureuse. Des doubles rideaux d'un rouge sombre habillaient les fenêtres. Les chaises n'étaient pas alignées contre le mur mais rassemblées autour du poêle qui laissait apercevoir au travers des vitres de mica ses charbons rougeoyants. Laura mourait d'envie de jeter un œil dans l'album de photographie qui se trouvait sur le dessus de marbre de la table et sur les livres rangés sur la tablette inférieure, mais cela aurait été d'une grande impolitesse de manquer ainsi d'attention aux propos de Mme Woodworth.

Un peu plus tard, Mme Woodworth s'excusa et se rendit dans la cuisine. Alors un grand silence s'installa. Laura sentait qu'elle devait dire quelque chose, mais rien ne lui venait à l'esprit. Elle avait l'impression que ses pieds étaient trop grands et elle ne savait pas quoi faire de ses mains.

Par l'entrebâillement de la porte, elle vit une longue table couverte d'une nappe blanche. L'éclat de la lampe, suspendue au plafond par de longues chaînes dorées, faisait scintiller la vaisselle de porcelaine et les couverts d'argent disposés sur la table. Des pendeloques de verre étincelantes étaient accrochées tout autour de l'abat-jour blanc crème.

Tout cela était vraiment très joli, mais Laura

n'arrivait pas à oublier ses pieds. Elle essaya de les cacher davantage sous sa robe. Elle regarda les autres filles et sentit qu'il fallait rompre le silence qui les mettait tous mal à l'aise. Mais ceci était au-dessus de ses forces. Elle pensa avec tristesse qu'elle se sentait aussi mal à l'aise en compagnie de gens de son âge qu'avec les adultes des réunions de bienfaisance.

Des bruits de pas alertes résonnèrent dans l'escalier et Jim fit irruption dans la pièce, tout essoufflé. Il jeta sur eux un coup d'œil circulaire et demanda gravement :

— Est-ce une réunion de Quakers [1] ici?

Ils éclatèrent tous de rire. Cette plaisanterie les ayant déridés, la conversation s'engagea, bien qu'ils entendissent, parvenant de l'autre pièce où Mme Woodworth s'affairait, des tintements de porcelaine.

Jim avait l'air très à l'aise et il s'écria :

— Le dîner est-il prêt, Mère?

— Oui, c'est prêt, répondit Mme Woodworth de l'autre côté de la porte. Vous pouvez passer dans la salle à manger.

Chez les Woodworth, il semblait que cette pièce servît seulement aux repas.

1. N.d.T. Les Quakers, membres d'une secte religieuse fondée au XVIIe siècle, se réunissent dans des salles dépourvues de tout ornement et y attendent avec recueillement la venue de l'Esprit Saint.

Le couvert était mis pour huit personnes et une bonne soupe d'huîtres fumante remplissait chaque assiette. Ben et Jim s'installèrent chacun à un bout de la table. Mme Woodworth indiqua leur place aux invités et dit qu'elle les servirait.

Dans ce cadre si joli et si chaleureux, Laura avait oublié sa timidité, d'autant plus que la table cachait ses pieds et qu'elle ne se demandait plus quoi faire de ses mains.

Au beau milieu de la table trônait un ensemble en argent contenant un huilier en cristal ainsi qu'un moutardier, un poivrier et une salière. Un liséré de minuscules fleurs multicolores bordait les assiettes de porcelaine blanche. Une serviette de table, savamment pliée de façon à s'ouvrir comme une fleur, était disposée à chaque place. Des oranges posées devant chaque assiette faisaient un plus bel effet encore. Ce n'étaient pas de simples oranges : ces fruits avaient été pelés de manière à ce que chaque quartier de pelure imitât un pétale de fleur orangé tout autour du fruit recouvert seulement de sa fine peau blanche.

La soupe d'huîtres constituait à elle seule un véritable festin et de plus, de petits biscuits ronds et salés, que Mme Woodworth fit passer, l'accompagnaient. Quand on eut avalé la dernière goutte de cette délicieuse soupe, Mme Woodworth enleva les assiettes à soupe et posa sur la table un plat garni de petits pâtés de pommes de terre. Les petites galettes de purée, saisies dans l'huile de friture, avaient une belle couleur dorée. Mme Woodworth apporta ensuite des croquettes de morue, onctueuses et bien rissolées, ainsi qu'une assiette de petits gâteaux tout chauds. Elle proposa aussi du beurre, présenté dans un petit beurrier en verre.

Mme Woodworth offrit généreusement à chacun de se resservir non pas une mais deux fois. Elle apporta ensuite le café et fit passer la crème et le sucre.

Après tout cela, elle changea à nouveau les assiettes et revint avec un gâteau d'anniversaire couvert de sucre glace. Elle le posa, ainsi qu'une pile d'assiettes, devant Ben. Ben se leva pour couper le gâteau. Il déposa une tranche sur chaque petite assiette que Mme Woodworth tendait à chacun des convives. Ils attendirent pour commencer que Ben se fût servi.

Laura était intriguée par l'orange placée devant son assiette. Si ces oranges étaient destinées à être mangées, elle ne savait guère quand ni comment. Elles étaient si jolies, que c'était vraiment dommage d'y toucher. Cependant elle avait déjà goûté une fois à ce fruit et avait beaucoup apprécié sa saveur.

Chacun prit une bouchée de gâteau, mais personne ne toucha à l'orange. Laura pensa que c'était peut-être un cadeau qu'on rapporterait chez soi. Ainsi, elle la partagerait avec Papa, Maman, Carrie et Grace.

Alors Ben prit son orange, la tint soigneusement au-dessus de son assiette et ôta les pelures semblables à des pétales, avant de diviser le fruit en quartiers. Il mordit dans l'un d'eux avant de prendre un morceau de gâteau.

Laura l'imita ainsi que les autres. Ils enlevèrent délicatement les jolies pelures et partagèrent comme Ben l'orange en quartiers et la mangèrent pour accompagner le gâteau.

Le dîner fini, seules les belles pelures orangées restèrent dans les assiettes. Laura n'oublia pas d'essuyer délicatement ses lèvres avec sa serviette et de la replier comme le faisaient les autres filles.

— Maintenant, allons nous amuser en bas! dit Ben.

— Tu ne crois pas que nous devrions aider à faire la vaisselle, dit tout bas Laura à Marie Power quand ils se levèrent tous de table.

— Pouvons-nous vous aider à faire la vaisselle, Mme Woodworth? demanda spontanément Ida.

Mme Woodworth les remercia mais dit :

— Allez donc jouer et amusez-vous bien, les filles! Ne vous souciez pas de la vaisselle!

Des appliques éclairaient vivement la vaste

salle d'attente chauffée par un poêle. Il y avait toute la place qu'on voulait pour jouer à toutes sortes de jeux. Ils jouèrent d'abord à la chandelle puis à colin-maillard. Quand finalement ils s'assirent tous sur les bancs pour reprendre leur souffle, Jim dit :

— Je connais un jeu auquel vous n'avez jamais joué.

Ils furent tous très curieux de savoir ce que c'était.

— Eh bien, je crois que ce jeu est trop récent pour porter un nom, répondit Jim. Mais si vous venez dans mon bureau, je vous montrerai comment on y joue.

Ils s'entassèrent tous dans le petit bureau de Jim et se placèrent en demi-cercle autour de sa table, comme Jim le leur demandait, Jim et Ben chacun à une extrémité. Jim leur demanda de se tenir par la main.

— Maintenant, ne bougez plus, dit-il.

Ils restèrent tous immobiles, se demandant ce qui allait se passer.

Laura sentit tout à coup son corps sillonné par des picotements cuisants ; toutes les mains serrées sursautèrent. Les filles poussèrent des cris perçants et les garçons hurlèrent. Laura restait saisie, incapable de crier ou de faire un geste.

Tous les autres, surexcités, demandèrent : « Que s'est-il passé ? Qu'est-ce que c'est ? Qu'as-

tu fait, Jim? Jim, comment as-tu fait cela? »

— C'était ton électricité, n'est-ce pas, Jim?
Mais comment t'y es-tu pris? demanda Cap.

Jim se contenta de rire et dit :

— N'as-tu rien senti, Laura?

— Oh, si! répondit-elle.

— Alors, pourquoi n'as-tu pas crié? voulut
savoir Jim.

— Ah quoi cela aurait-il servi? riposta Laura.

Jim ne trouva rien à lui répondre.

— Mais qu'est-ce que c'était? demanda-t-elle
en chœur avec les autres.

— Personne ne le sait, répondit seulement Jim.

Papa lui avait déjà expliqué que personne ne savait ce qu'était l'électricité. Benjamin Franklin avait découvert que c'était comme la foudre mais personne ne pouvait dire ce qu'était la foudre. A présent l'électricité faisait marcher le télégraphe sans qu'on en connût l'origine.

Ils ressentaient tous une étrange impression face à ce petit appareil de cuivre posé sur la table, qui pouvait envoyer des messages cliquetants si loin et si vite. Jim fit entendre un petit déclic.

— On l'entend à Saint Paul, dit-il.

— En ce moment même? demanda Minnie.

— En ce moment même, confirma Jim.

Ils gardaient tous le silence quand Papa ouvrit la porte et entra.

— La soirée est-elle terminée? demanda-t-il. Je viens chercher ma fille pour la raccompagner.

La grosse pendule sonna dix heures. Personne ne s'était rendu compte qu'il était aussi tard.

Tandis que les garçons mettaient leur manteau et leur chapeau pendus dans la salle d'attente, les filles montèrent au premier pour remercier Mme Woodworth et lui dire au revoir. Dans l'élégante chambre, elles boutonnèrent leur manteau et attachèrent leur capuchon. Oh, comme elles s'étaient bien amusées! Maintenant que cette soirée tant redoutée était passée, Laura aurait voulu qu'elle durât plus longtemps encore.

Le révérend Brown était venu chercher Ida et l'attendait en bas. Marie Power et Laura rentrèrent avec Papa.

Quand Papa et Laura entrèrent dans la maison, Maman les attendait.

— Je suis sûre que tu as passé une agréable soirée, rien qu'à voir tes yeux brillants, dit Maman à Laura en souriant. Maintenant, va au lit sans faire de bruit car Carrie et Grace dorment. Demain, tu nous raconteras en détails cette soirée.

— Oh, Maman, chacun de nous avait une orange entière, ne put-elle s'empêcher de dire.

Mais elle leur raconterait le reste le lendemain, quand ils seraient tous réunis.

CHAPITRE 21

DES MOMENTS
D'INSOUCIANCE

Après cette soirée, Laura ne consacra plus
tout son temps à l'étude. Pendant le dîner
d'anniversaire, les filles et les garçons s'étaient
liés d'amitié et, à présent, durant les jours de
mauvais temps, à la récréation et à l'heure du
déjeuner, ils se rassemblaient tous autour du
poêle pour bavarder et plaisanter ensemble.

Les jours de beau temps entre deux tempêtes
étaient particulièrement gais. Ils faisaient des
batailles de boules de neige dehors. Ce n'était
pas vraiment un jeu de jeunes filles mais c'était

si amusant! Ils rentraient complètement essouf-
flés, riant à gorge déployée, tapant leurs pieds
contre le sol pour ôter la neige accrochée à leurs
souliers. Ils secouaient leurs manteaux et leurs
capuchons dans l'entrée et regagnaient tous leur
place avec une provision de grand air et le sang
bouillonnant dans les veines.

Laura passait des moments si agréables
qu'elle en oubliait presque de faire des progrès
en classe. Elle restait en tête de classe mais elle
n'avait plus vingt sur vingt partout. Elle faisait
des erreurs en calcul et même parfois en histoire. Une fois, sa note d'arithmétique descendit
jusqu'à dix-huit. Elle pensait rattraper ce léger
retard l'été prochain, bien qu'elle connût par
cœur ces mots :

Si tu laisses échapper, entre le lever et le coucher
du soleil,
Ne fût-ce qu'une heure, aussi précieuse que le
diamant,
Tu ne la retrouveras jamais, elle s'est envolée
pour toujours.

Les petits garçons apportèrent à l'école les
luges qu'ils avaient reçues en cadeau de Noël.
Les grands les leur empruntaient parfois pour
emmener les filles faire un tour. Les garçons
tiraient les luges car il n'y avait aucun flanc de

colline à dévaler et, cet hiver, faute de blizzard, la neige ne s'était pas amoncelée et n'avait pas formé de grosses congères.

Puis Cap et Ben avaient construit un bobsleigh assez grand pour que les quatre filles pussent y monter en même temps. Les quatre garçons le tiraient. Pendant la récréation, les garçons entraînaient à toute vitesse le traîneau sur la route traversant la prairie et, après s'être suffisamment éloignés, ils revenaient tout aussi vite vers l'école. A midi, ils avaient le temps de s'aventurer encore plus loin.

Nelly ne supporta finalement plus de rester à l'écart et de les regarder s'amuser au travers des vitres. Elle avait toujours dédaigné les jeux au grand air, car le froid risquait d'abîmer son teint délicat et de gercer ses mains. Mais un jour, à midi, elle annonça qu'elle avait envie de faire un tour en bobsleigh.

Le traîneau n'avait pas été construit pour transporter cinq personnes, mais les garçons ne voulurent pas laisser tomber l'une des filles et finirent par les convaincre de monter toutes les cinq dessus. Elles se tassèrent dans le traîneau, les jambes ballantes sur le côté, leurs jupes ramassées découvrant leurs bottines et un bout de leurs bas de laine. Puis ils s'éloignèrent sur la route enneigée.

Soûlées par le vent, échevelées, les joues

rougies par le froid, les filles ne cessaient de rire sur le traîneau que les garçons tiraient. Ils décrivirent un large cercle sur la prairie avant de retourner vers la ville. Ils passèrent en trombe devant l'école et Cap s'écria :

— Allons donc dans la Grand'rue!

Les garçons accueillirent sa proposition par des cris et des éclats de rire et forcèrent l'allure.

— Arrêtez-vous immédiatement! Arrêtez, arrêtez, je vous l'ordonne! hurla Nelly.

— Oh, les garçons, ne faites pas cela, dit Ida sans toutefois cesser de rire.

Laura aussi riait en pensant au drôle de spectacle qu'elles devaient offrir avec leurs talons battant l'air, leurs jupes gonflées par le vent, leurs fichus, leurs cache-nez et leurs cheveux volant en tous sens. Les hurlements de Nelly ne faisaient qu'ajouter à l'amusement des garçons qui redoublèrent d'ardeur pour tirer le traîneau. Ils n'iraient sûrement pas jusqu'à la Grand'rue, pensa Laura, ils allaient faire demi-tour d'un instant à l'autre.

— Non, non! Arthur, non! criait Minnie.

— Non, je vous en prie, ne faites pas cela, suppliait Marie.

Laura aperçut les chevaux *Morgan* à l'attache, recouverts d'une couverture. Almanzo Wilder, emmitouflé dans un épais manteau de fourrure, était en train de les détacher. Il se retourna pour voir quelle était la cause de ces cris. Laura se rendit compte alors que les garçons étaient bien décidés à descendre la Grand'rue et là elles seraient vues de tous.

Il régnait une telle confusion parmi les filles que Laura parla d'une voix basse et résolue pour se faire entendre.

— Cap, dit-elle, s'il te plaît, dis-leur de s'arrêter. Marie ne veut pas aller dans la Grand'rue.

Cap voulut aussitôt faire demi-tour mais les autres garçons résistèrent. Cap insista : « Allez! Rentrons! » Il fit faire demi-tour au traîneau.

Ils se dirigèrent vers l'école. La cloche sonnait. Arrivées à la porte, les filles s'extirpèrent du bobsleigh. Elles semblaient toutes de bonne humeur à l'exception de Nelly qui était vraiment furieuse.

— Si vous vous croyez malins! hurla-t-elle. Vous... vous... êtes bien des rustauds de l'Ouest!

Les garçons la regardèrent, l'air grave et silencieux. Ils n'osaient pas lui dire ce qu'ils pensaient car c'était une fille. Alors Cap lança vers Marie Power un regard inquiet auquel elle répondit par un sourire.

— Merci, les garçons, pour la promenade, dit Laura.

— Oui, merci, nous nous sommes bien amusées, renchérit Ida.

— Merci, dit Marie Power, adressant un sourire à Cap dont le visage s'éclaira tout aussitôt.

— Nous recommencerons à la récréation, promit-il et ils entrèrent tous dans l'école.

En mars, la neige fondit. Les examens de fin d'année approchaient. Laura n'arrivait cependant pas à se consacrer à ses études autant qu'elle l'aurait dû. On ne faisait plus que parler de la dernière soirée littéraire de la saison. Le thème en était gardé secret et les suppositions allaient bon train. Même la famille de Nelly s'y rendrait et en cette occasion, Nelly porterait une robe neuve.

A la maison, au lieu d'étudier, Laura repassa sa robe de cachemire bleue et rafraîchit son jabot de dentelle. Elle avait tant insisté pour porter un chapeau au lieu d'un capuchon que Maman avait finalement acheté un mètre d'un très beau tissu de velours marron.

— Comme tu sauras prendre soin de ce chapeau, dit Maman comme pour s'excuser, il te fera plusieurs hivers.

Plusieurs samedis de suite, Marie Power et Laura confectionnèrent leurs chapeaux. Le chapeau de Marie était en drap bleu foncé, bordé d'une torsade de velours bleu et noir. Le drap et le velours provenaient des chutes de tissu de son père. Dans le soyeux velours marron aux reflets roux, Laura taillait son chapeau. Elle l'étrennerait à l'occasion du dernier spectacle de la société littéraire.

L'absence de bureau sur l'estrade était le seul changement visible dans la salle de classe. Les gens s'assirent à trois par banc; la salle était pleine à craquer. Des garçons avaient même pris place sur le bureau de l'instituteur, serrés comme des sardines. M. Bradley et M. Barnes faisaient reculer les gens pour dégager l'allée centrale. Personne ne savait pourquoi ils fai-

saient cela quand un grand cri s'éleva de la foule massée dehors, en attente de pouvoir entrer.

Alors cinq hommes au visage noir et habillés de drôles de guenilles remontèrent l'allée au pas cadencé. Leurs yeux étaient cerclés de blanc et ils s'étaient dessiné une large bouche rouge. Ils marchèrent jusqu'à l'estrade puis, se mettant en ligne, ils se retournèrent soudain et avancèrent en chantant :

« Oh, vous pouvez louer vos gardes Mulligan !
Vous ne battrez pas ces noirauds que nous sommes ! »

Ils marchaient en cadence, avançant et reculant, avançant encore et reculant à nouveau... en avant, en arrière...

« Oh, vous pouvez louer vos gardes Mulligan !
Vous ne battrez pas ces noirauds que nous sommes !
Nous marchons, martelant le sol de nos souliers cirés !
Voyez un peu nos pieds de noirauds, si beaux !

L'homme du milieu dansait en marquant le rythme avec la semelle de ses godillots. Les quatre autres se tenaient contre le mur. L'un jouait de la guimbarde, l'autre de l'harmonica, un troisième marquait la cadence avec des cliquettes et le dernier frappait dans ses mains et tapait des pieds.

La salle était enthousiaste : les gens tapaient des pieds malgré eux, transportés par cette musique au rythme irrésistible, amusés par ces visages aux yeux blancs rieurs et cette danse déchaînée.

Les spectateurs n'eurent pas un instant de répit. Quand la danse s'arrêta, les plaisanteries commencèrent. Les yeux cerclés de blanc roulaient dans leurs orbites et les grosses bouches rouges laissaient échapper des questions et des réponses à mourir de rire. Puis il y eut à nouveau de la musique et des danses encore plus endiablées.

Puis les cinq noirs en guenilles descendirent rapidement l'allée, laissant les spectateurs écroulés de rire. La soirée avait passé trop vite. Ce spectacle n'avait rien à envier aux fameux *minstrel shows* de New York [1]. Une question courut alors parmi la foule qui jouait des coudes pour sortir de la salle : « Qui étaient-ils ? »

Leurs guenilles et leurs visages noircis les

---

1. N.d.T. Les *minstrel shows* sont des spectacles de variétés animés par des comiques et des chanteurs déguisés en Noirs et dont le répertoire est censé être d'origine nègre. La première des troupes ayant présenté ce genre de spectacle vers 1842 s'appelait les « Christy Minstrels ».

avaient rendus méconnaissables. Laura était sûre que le danseur qui faisait des claquettes n'était autre que Gerald Fuller, car elle l'avait déjà vu une fois danser ainsi devant son magasin, sur le trottoir. En songeant aux mains noires qui tenaient les longues et plates cliquettes qui marquaient bruyamment le rythme, Laura aurait affirmé qu'il s'agissait de Papa si ce Noir avait porté une barbe.

— Papa n'a pas coupé sa barbe, n'est-ce pas? demanda-t-elle à Maman.

— Mon Dieu, non! répondit Maman, horrifiée. Du moins je l'espère, ajouta-t-elle ensuite.

— Papa était certainement l'un de ces noirauds, car il n'était pas avec nous, fit remarquer Carrie.

— Oui, je sais qu'il répétait pour un *minstrel show,* leur confia Maman en pressant le pas.

— Mais aucun de ces noirauds ne portait de barbe, Maman, lui rappela Carrie.

— Mon Dieu! s'exclama Maman. Oh, mon Dieu...

Le spectacle l'avait tellement captivée, qu'elle n'avait pas songé une minute à cela.

— Il n'a pas fait une telle chose, dit-elle.

Mais elle demanda aussitôt à Laura :

— Le crois-tu capable de cela?

— Je ne sais pas, répondit Laura.

A vrai dire, elle pensait que pour une telle

soirée, Papa était capable de sacrifier même sa barbe, mais elle ne savait pas s'il l'avait réellement fait.

Elles se hâtèrent de rentrer. Papa n'était pas à la maison. Le temps sembla interminable avant qu'il n'ouvrît la porte en demandant joyeusement :

— Alors, comment avez-vous trouvé notre spectacle?

Sa longue barbe brune couvrait toujours le bas de son visage.

— *Qu'as-tu fait de ta barbe?* cria Laura.

Papa feignit la surprise et la perplexité et il demanda :

— Mais qu'est-ce qu'elle a, ma barbe?

— Charles, tu vas me faire mourir... dit Maman sans pouvoir s'empêcher de rire.

En observant de plus près Papa, Laura aperçut quelques traces de pommade blanche dans ses rides au coin des yeux et un tout petit peu de graisse noire dans sa barbe.

— J'ai deviné! Tu l'as lissée avec de la graisse noire et tu l'as cachée derrière ce grand col! accusa Laura.

Papa ne put le nier. C'était bien lui le Noir qui avait joué des cliquettes.

Maman dit qu'une telle soirée n'arrivait qu'une fois dans une vie, aussi n'allèrent-ils pas se coucher tout de suite pour en parler encore.

326

C'était la dernière soirée littéraire de l'hiver car le printemps allait bientôt arriver.

— Dès que l'école fermera ses portes, nous irons habiter sur notre concession, dit Papa. Qu'en pensez-vous?

— Je pourrai ainsi m'occuper du jardin, dit Maman, songeuse.

— Je suis contente d'y retourner, dit Carrie. Nous cueillerons à nouveau des violettes, dit Carrie. Cela ne te fait pas plaisir, Grace?

Mais Grace était en train de s'assoupir sur les genoux de Maman, assise dans son fauteuil à bascule. Elle ouvrit juste un œil et murmura « Vi'lettes ».

— Et toi, Laura, qu'en dis-tu? demanda Papa. Je suppose qu'à présent tu préférerais rester en ville.

— Oui, admit Laura. Je n'aurais jamais pensé que cela me plairait tant d'habiter en ville. Mais cet été, tous les gens vont déménager pour regagner leur concession et nous reviendrons en ville l'hiver prochain, n'est-ce pas?

— Oui, je le pense, dit Papa. Cela me semble préférable tant que je n'arrive pas à louer cette maison et c'est plus sûr pour vous, les filles, pour faire le chemin jusqu'à l'école. Cet hiver, toutefois, nous aurions pu aussi bien rester à la campagne. Bon, c'est la vie! On se prépare à un rude hiver et il n'y a pas le plus petit blizzard.

Papa dit cela d'un ton si comique qu'ils éclatèrent tous de rire.

Après cela, il fallut songer au déménagement. Les senteurs de terre humide qui se répandaient dans l'air tiède n'incitaient pas Laura à travailler. Elle savait qu'elle réussirait ses examens d'année même si ses notes n'étaient pas aussi bonnes qu'elles auraient pu l'être. Elle se rebellait contre sa mauvaise conscience en songeant qu'elle ne reverrait plus Ida, Marie Power, Minnie et les garçons de tout l'été. Elle prit la résolution d'étudier vraiment avec acharnement dès qu'ils auraient quitté la ville.

Laura n'obtint pas le maximum des points à ses examens : 19,5 sur 20 en histoire et 18 en arithmétique. Ces notes étaient inscrites sur son bulletin et elle ne pouvait plus rien y faire.

Alors, elle se rendit compte soudain qu'elle devait se montrer plus exigeante envers elle-même. Dans dix mois, elle aurait seize ans. L'été s'offrait à elle avec son immense ciel bleu parcouru de nuages blancs boursouflés, avec ses violettes en train d'éclore dans l'ancien trou des bisons et ses roses sauvages cachées parmi les herbes de la Prairie, mais elle devait rester à l'intérieur et étudier. Il le fallait. Sinon, elle n'aurait peut-être pas son diplôme d'institutrice au printemps prochain et Marie devrait quitter le collège.

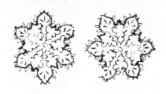

CHAPITRE 22

CURIEUX MOIS D'AVRIL

Tout était en ordre dans la petite maison sur la concession. La Prairie s'était dépouillée de son blanc manteau de neige pour se couvrir d'un voile léger d'herbes vertes et tendres. Les champs labourés étalaient leurs rubans noirs et exhalaient des odeurs printanières sous le chaud soleil.

Laura avait étudié pendant deux heures ce matin-là. Après avoir débarrassé la table du déjeuner, elle vit son ardoise et ses livres de classe qui l'attendaient tandis que le doux souffle enjôleur de l'air printanier l'invitait à aller se promener avec Carrie et Grace. Mais elle *devait* travailler.

— Je crois que je vais aller faire un tour en ville cet après-midi, dit Papa en mettant son chapeau. Veux-tu que je te rapporte quelque chose, Caroline?

Soudain, le souffle du vent devint glacé et Laura se précipita à la fenêtre.

— Papa! J'aperçois le nuage du blizzard! s'écria-t-elle.

— Quoi! Ce n'est pas possible! Un blizzard au mois d'avril!

Papa se retourna pour s'en rendre compte lui-même.

Le soleil disparut, le bruit du vent s'amplifia et la tempête s'abattit sur la petite maison. Un tourbillon blanc cingla les vitres et le froid s'infiltra dans la pièce.

— Réflexion faite, dit Papa, je crois que je ferais tout aussi bien de rester à la maison cet après-midi.

Il approcha une chaise près du fourneau et s'assit.

— Quelle chance que les animaux soient à l'étable! J'allais justement en ville pour acheter des piquets d'attache et de la corde afin de les laisser dehors, dit Papa.

Ce premier blizzard affolait Kitty. C'était une

330

chose nouvelle pour elle que de sentir ses poils se hérisser sur son dos en crépitant. Lorsque Grace voulut la caresser pour l'apaiser, elle s'aperçut que le moindre contact avec ses poils produisait une étincelle. On ne pouvait rien faire pour elle sinon éviter de la toucher.

Le blizzard fit rage pendant trois jours et trois nuits. Papa mit les poules dans l'étable pour les abriter du froid. La température était descendue si bas qu'ils passèrent ces jours sombres blottis autour du fourneau et, malgré la faible lumière, Laura étudia avec opiniâtreté son livre d'arithmétique.

« Au moins, ce temps n'incite pas à la promenade », pensait-elle.

Le troisième jour, le blizzard laissa sur la Prairie une fine couche de neige dure et, le jour suivant, lorsque Papa se rendit en ville, ce tapis de neige gelée recouvrait encore la terre. A son retour, il leur apprit que deux hommes s'étaient perdus dans le blizzard.

Ils étaient arrivés le matin par un beau temps printanier, venant de l'Est par le train. Ils avaient été rendre visite à des amis vivant sur une concession au sud de la ville et ils avaient quitté ces derniers un peu avant midi pour se diriger à pied vers une autre concession située à trois kilomètres de là.

Après le blizzard, tous les gens des environs

s'étaient mis à leur recherche et on les avait retrouvés près d'une meule de foin, morts de froid.

— Ils n'ont pas su quoi faire, car c'étaient des gens de l'Est, dit Papa. S'ils s'étaient creusé une niche dans la meule et avaient pris soin de reboucher l'ouverture, ils se seraient tenus chaud et auraient survécu à ces trois jours de tempête.

— Mais qui pouvait prévoir qu'un blizzard surviendrait à cette époque de l'année? interrogea Maman.

— On ne sait jamais ce qui peut arriver. Il faut toujours s'attendre au pire et qui peut le plus peut le moins.

— Mais, Papa, nous nous sommes préparés au pire cet hiver et tout cela pour rien, fit remarquer Laura. Ce blizzard a éclaté alors que nous ne l'attendions plus.

— Oui, j'ai en effet l'impression que ces blizzards cherchent toujours à nous surprendre soit par leur précocité soit par leur retard, dit Papa.

— Je ne vois pas comment on peut se prémunir contre quoi que se soit puisqu'il arrive toujours autre chose que ce qu'on avait prévu, constata Laura.

— Laura! s'exclama Maman.

— Mais c'est vrai, Maman! protesta Laura.

— Non, répliqua Maman. Il y a plus de

logique que tu ne le prétends dans le climat. Les blizzards ne surviennent que dans certaines régions. Tu peux te préparer à enseigner sans pour cela être plus tard institutrice mais si tu ne t'y es pas préparée, assurément tu ne le seras jamais.

Maman avait raison. Un peu plus tard, Laura se souvint que Maman avait été institutrice autrefois. Ce soir-là, après avoir rangé ses livres pour aider Maman à préparer le dîner, elle lui demanda.

— Pendant combien de trimestres as-tu enseigné, Maman?

— Deux trimestres.

— Que s'est-il passé ensuite?

— Ensuite, j'ai rencontré ton père.

— Oh! soupira Laura.

Elle pensa secrètement qu'elle pourrait aussi un jour rencontrer quelqu'un. Elle n'était peut-être pas destinée à enseigner toute sa vie.

CHAPITRE 23

UNE NOUVELLE
ANNÉE SCOLAIRE

Lorsqu'elle repensait à l'été passé, Laura avait l'impression que le travail scolaire avait rempli tout son temps. En réalité, les occupations diverses n'avaient pas manqué. Elle avait été chercher de bon matin l'eau au puits, elle avait trait la vache, déplacé les piquets d'attache et appris au veau dernier-né à boire. Elle avait fait du jardinage, aidé au ménage et secondé Papa lors de la fenaison. Mais les longues heures qu'elle avait passées devant ses livres, accablée de chaleur et suant à grosses gouttes, estompaient

334

ses autres souvenirs. Elle ne s'était même pas rendue en ville pour la fête du 4 juillet. Papa et Maman y avaient assisté en compagnie de Carrie mais Laura était restée à la maison pour garder Grace et étudier la constitution américaine.

Marie écrivait souvent et, chaque semaine, ils lui répondaient. Même Grace, avec l'aide de Maman, écrivait de petits mots et on ne manquait jamais de les glisser dans l'enveloppe.

A présent, les poules pondaient. Maman laissa les plus beaux œufs à couver et vingt-quatre poussins virent le jour. Elle utilisa les petits œufs de poulettes pour la cuisine et, un jour, lors d'un déjeuner dominical, ils mangèrent du poulet rôti accompagné de petits pois de primeur et de pommes de terre nouvelles. Quant aux autres jeunes coqs, on les mangerait plus tard, quand ils auraient grandi et bien engraissé.

Les chiens de prairie revinrent et Kitty partit faire des festins dans les champs. Elle attrapait plus de chiens de prairie qu'elle ne pouvait en manger et, à toute heure du jour, elle venait partager avec Maman, Laura, Carrie ou Grace son mets favori. Elle déposait à leurs pieds une proie fraîchement tuée en poussant des miaulements de victoire ; et les grands yeux étonnés qu'elle levait vers elles montraient son désarroi. Elle n'arrivait pas à comprendre pourquoi sa

335

famille d'adoption ne se régalait pas comme elle de ces petits rongeurs.

Quoique moins nombreux que l'année précédente, les merles réapparurent. Malgré la vigilance de Kitty, ils causèrent quelque dommage aux récoltes. Puis, un automne clément s'installa et Laura et Carrie retournèrent en classe.

Le nombre de gens habitant en ville et dans les environs s'était accru et tous les bancs de l'école étaient à présent occupés. Les plus jeunes élèves devaient même s'asseoir à trois par banc.

M. Owen, le fils de celui dont les chevaux bais avaient gagné la course du 4 juillet, était le nouvel instituteur. Laura l'aimait beaucoup et le respectait infiniment. Son jeune âge ne l'empêchait guère de faire preuve de sérieux, de travail et d'initiatives.

Dès le premier jour, il se montra ferme. Tous les élèves lui obéissaient, le respectaient et apprenaient consciencieusement leurs leçons. Le troisième jour de classe, il fouetta Willy Oleson.

Laura ne sut trop quoi penser au début de cette punition. Willy était assez intelligent mais il n'apprenait jamais ses leçons. Quand on l'interrogeait, il regardait l'instituteur, bouche bée et le regard hébété. Dans ces moments-là, son visage perdait toute animation et son air affreusement niais mettait toute la classe mal à l'aise.

Au début, Willy avait agi ainsi pour faire enrager Mlle Wilder. Il faisait semblant de ne rien comprendre à ce qu'elle lui expliquait. A la récréation, il reprenait son air idiot pour faire rire les autres garçons. M. Clewett l'avait jugé un peu simplet et n'avait rien exigé de lui. Willy s'était si bien identifié au personnage qu'il jouait qu'il ne quittait plus à présent cet air demeuré et perdait son temps en classe, le regard perpétuellement vide et la bouche toujours ouverte. Laura avait fini par croire qu'il était devenu réellement simple d'esprit.

La première fois que M. Owen fit l'appel, il resta interloqué devant le regard inexpressif de Willy et Nelly répondit à sa place :

— C'est mon frère, Willy Oleson. Il perd complètement ses moyens dès qu'on lui pose une question.

Durant cette journée et le jour suivant, Laura remarqua à plusieurs reprises que M. Owen regardait attentivement Willy.

Willy, le regard perdu dans le vide, bavait. Quand M. Owen l'appela au tableau pour réciter sa leçon, Laura se plongea dans ses livres pour ne pas voir son insupportable regard d'idiot.

Le troisième jour, M. Owen dit très calmement à Willy :

— Suivez-moi!

Il tenait sa baguette dans une main et de l'autre, il avait saisi Willy par l'épaule. Sans dire un mot, il l'entraîna vers l'entrée et referma la porte derrière eux. Les sifflements de la baguette furent seulement perçus par Laura et Ida, assises près de la porte, mais chacun put entendre les hurlements de Willy.

M. Owen rentra avec Willy. L'instituteur ne s'était guère départi de son calme.

— Arrêtez de pleurnicher, dit-il. Retournez à votre place et travaillez. J'exige de vous que vous sachiez vos leçons.

Willy cessa de geindre et regagna sa place. Désormais, dès que le regard de M. Owen se posait sur lui, Willy abandonnait son air idiot. Il donnait l'impression d'essayer de réfléchir et d'agir comme les autres garçons. Laura se demandait souvent si Willy, après avoir tant pris goût à jouer les demeurés, ne l'était pas devenu réellement. En tout cas, la crainte de la sanction poussait Willy à faire de son mieux pour redevenir un élève comme les autres.

Laura et Ida, Marie Power et Minnie ainsi que Nelly Oleson occupaient les mêmes places que l'an dernier. Le soleil estival avait bruni leur visage, à l'exception de celui de Nelly, plus grande dame que jamais avec son teint pâle. Bien que sa mère taillât ses vêtements dans de vieilles affaires, Nelly était très élégamment habillée et lorsque Laura se comparait à elle, elle ne se plaisait plus dans sa robe de classe ni dans sa robe de cachemire du dimanche. Elle réprimait toutefois son envie de se plaindre.

Comme les crinolines étaient devenues finalement à la mode, Maman en avait acheté une à Laura. Elle avait rallongé si soigneusement sa robe marron qu'elle pouvait parfaitement la porter malgré les cerceaux de la crinoline. Elle n'eut pas besoin de retoucher la robe de cachemire bleue. Laura gardait toutefois le sentiment que les autres filles étaient mieux habillées qu'elle.

Marie Power portait une robe d'école neuve, Minnie Johnson un nouveau manteau et de nouvelles chaussures. Les vêtements d'Ida provenaient des œuvres paroissiales mais elle était si mignonne et si gaie que tout lui allait à ravir. Quand Laura s'habillait pour se rendre à l'école, elle avait l'impression que plus elle se donnait du mal pour se faire belle, moins elle se plaisait. Un matin, Maman voulut la conseiller.

— Ton corset n'est pas assez serré, dit-elle. Si tu tirais davantage sur les cordons, tu aurais une plus jolie silhouette. D'autre part, je crois que finalement cette frange n'est pas une coiffure très seyante. Les cheveux tirés en arrière et ces mèches sur le front font ressortir les oreilles.

Maman faisait de son mieux pour aider

Laura, mais tout à coup une idée lui traversa l'esprit et elle se mit à rire doucement toute seule.

— Qu'y a-t-il, Maman? Raconte! supplièrent Laura et Carrie.

— Je me souviens d'un jour où tante Eliza et moi sommes allées à l'école avec une nouvelle coiffure dégageant les oreilles. L'institutrice nous a fait venir devant toute la classe pour nous faire honte de montrer ainsi nos oreilles et de manquer à ce point à la distinction féminine.

— Est-ce pour cela que tu portes toujours les cheveux en bandeaux sur les oreilles? s'écria Laura.

Maman la regarda, un peu surprise.

— C'est bien possible, répondit-elle finalement, l'air enjouée.

Sur le chemin de l'école, Laura dit à Carrie :

— Sais-tu que je n'ai jamais vu les oreilles de Maman?

— Tu lui ressembles et je suis sûre qu'elle a comme toi de jolies petites oreilles, répondit Carrie.

— Eh bien... commença Laura.

Puis elle s'interrompit car le vent fort faisait remonter les cerceaux de sa crinoline et sa jupe se retroussait jusqu'à ses genoux. Laura devait tourner comme une toupie pour les faire redescendre à leur place au bas de sa jupe.

En pressant le pas elle reprit la conversation :

— Eh bien, je pense que la mode était vraiment insensée quand Maman avait notre âge, tu ne crois pas? Satané vent! lança-t-elle aussitôt car les cerceaux remontèrent à nouveau.

Carrie attendit patiemment que Laura tourbillonnât une nouvelle fois pour permettre aux cerceaux de se remettre en place.

— Je suis bien contente d'être trop jeune pour porter une crinoline, dit Carrie. Cela me donnerait le tournis.

— Oui, ce n'est pas très commode, admit Laura. Mais les crinolines sont à la mode et, quand tu auras mon âge, tu auras envie de la suivre.

Cet automne-là, la vie en ville offrait tant d'occasions de sortir qu'on abandonna les soirées littéraires. Chaque dimanche on se rendait à l'église et chaque mercredi soir aux assemblées de prières en commun. L'Association des Dames de charité prévoyait deux réunions et on parlait même d'un arbre de Noël. Laura espérait de tout cœur que Grace pourrait enfin voir un sapin de Noël. En novembre, une semaine de réunions pour le renouveau de la foi devait avoir lieu à l'église. De plus, en accord avec le Conseil de l'école, M. Owen projetait une fête de fin de trimestre à l'école.

Les cours ne s'interrompraient pas avant

341

cette fête prévue juste avant Noël. Aussi les grands garçons reprirent-ils l'école en novembre sans attendre le début du deuxième trimestre. Davantage de petits s'assirent à trois par banc afin de leur faire de la place.

— Cette école devient trop petite, dit un jour M. Owen à Laura et à Ida pendant la récréation. J'espère que la ville aura les moyens de financer la construction d'un plus grand bâtiment l'été prochain. Une école secondaire devient aussi indispensable. Je compte beaucoup sur ce spectacle de fin de trimestre pour informer les gens sur le fonctionnement de l'école et ses besoins.

Il annonça ensuite à Laura et à Ida qu'il désirait qu'elles racontassent de mémoire toute l'histoire américaine lors de la fête de fin d'année.

— Oh, crois-tu que nous en soyons capables, Laura? demanda Ida en se remettant de sa surprise lorsque M. Owen se fut éloigné.

— Bien sûr, répondit Laura, car nous aimons beaucoup l'histoire.

— En tout cas je suis contente que tu aies la

342

partie la plus longue, dit Ida. Je traite seulement la période allant de John Quincy Adams[1] à Rutherford B. Hayes[2], mais toi, il faut que tu te souviennes des découvertes, des batailles, de l'organisation du territoire et de la Constitution. Mon Dieu! Comment vas-tu y arriver?

— Cette partie est assurément plus longue mais nous l'avons souvent étudiée et revue plusieurs fois, fit remarquer Laura. Je suis contente d'avoir à la réciter.

Laura estimait que cette période de l'histoire américaine était la plus captivante.

Les autres filles ne faisaient que parler des réunions pour le renouveau de la foi. Tous les habitants de la ville et de la campagne alentour devaient s'y rendre. Laura ne savait pas en quoi consistaient ces réunions car elle n'y avait jamais assisté auparavant mais lorsqu'elle annonça qu'elle resterait les soirs de réunions à la maison pour étudier, Nelly s'exclama, horrifiée :

— Ce sont les athées qui se permettent de manquer de telles réunions!

Aucune des filles présentes ne prit la défense de Laura et les yeux bruns d'Ida se firent suppliants lorsqu'elle dit :

1. N.d.T. John Quincy Adams fut président des Etats-Unis de 1825 à 1829.
2. N.d.T. Rutherford B. Hayes fut président de 1877 à 1881.

— Tu viendras, Laura, n'est-ce pas?

Les réunions pour le renouveau de la foi devaient durer toute une semaine et en plus des leçons quotidiennes, il fallait préparer la fête de fin de trimestre. Lundi soir, Laura se dépêcha de rentrer à la maison après l'école pour travailler jusqu'à l'heure du dîner. Tout en essuyant la vaisselle, elle se remémora l'histoire des Etats-Unis et elle se plongea à nouveau un court instant dans ses livres pendant que Papa et Maman se préparaient.

— Dépêche-toi, Laura, nous allons être en retard, dit Maman. Il est déjà l'heure de se rendre à l'église.

Devant le miroir, Laura ajusta à la hâte son ravissant chapeau de velours marron en prenant soin de faire bouffer sa frange qui dépassait. Maman attendait près de la porte avec Carrie et Grace. Papa ferma les volets de tirage du fourneau et redescendit la mèche de la lampe à pétrole.

— Tout le monde est prêt? demanda-t-il.

Il éteignit la lampe et, à la lueur de la lanterne, ils sortirent tous et Papa ferma la porte à clé derrière eux. Pas une seule fenêtre n'était éclairée dans la Grand'rue. On apercevait, derrière la quincaillerie Fuller, les lueurs vacillantes des dernières lanternes qui cheminaient à travers les lotissements déserts vers l'église vivement

344

éclairée. Tout autour de celle-ci, des chariots, des bogheis et de nombreux chevaux recouverts d'une couverture attendaient dans l'ombre, serrés les uns contre les autres.

Il y avait foule dans l'église bien chauffée par la lueur vive des lampes à pétrole et le poêle à charbon. Des hommes à barbe grise avaient pris place près du pupitre, des familles entières occupaient les bancs du milieu et les jeunes gens et les jeunes garçons remplissaient les derniers rangs. Laura aperçut tous les gens qu'elle connaissait en ville mais aussi de nombreux visages inconnus lorsqu'elle remonta l'allée derrière Papa à la recherche de places libres. Il trouva des places dans les premiers rangs et Maman portant Grace, puis Carrie et Laura se faufilèrent devant une rangée de genoux pour aller s'asseoir.

Le révérend Brown se leva de la chaise derrière le pupitre et annonça qu'on chanterait le cantique cent cinquante-quatre. Mme Brown joua les premières notes à l'harmonium et tout le monde se leva et chanta :

« *Presque tout le troupeau est rentré au bercail,*
Quatre-vingt-dix-neuf brebis sont à l'abri,
Mais une brebis erre parmi les collines,
Au loin, vers les montagnes sauvages et hostiles,
Loin des soins attentifs du berger. »

Si les réunions pour le renouveau de la foi avaient seulement consisté à chanter, Laura les aurait tout à fait appréciées malgré son sentiment de perdre son temps à se divertir au lieu de travailler. Sa voix s'éleva, pure et sincère comme celle de Papa, lorsqu'ils chantèrent :

« *Réjouissons-nous, car le Seigneur a retrouvé la brebis égarée!* »

Ensuite, vinrent de longues prières. La tête baissée et les yeux clos, Laura entendait la voix heurtée du révérend Brown dérouler de longues psalmodies. Laura éprouva un grand soulagement quand tout le monde se releva enfin pour chanter à nouveau. On entonna un cantique au rythme marqué et entraînant :

« *J'ai semé à la volée dans le matin radieux,*
J'ai semé à la volée dans l'éclat du zénith.
J'ai semé à la volée dans le jour qui s'éteint,
J'ai semé à la volée dans la nuit silencieuse.
Oh, que récolterons-nou-ou-ous,
Oh, que récolterons-nous? »

Le prêche du révérend Brown, psalmodié et énergique, ne rompit pas le ton donné par le cantique. Sa voix montait et descendait, grondait et tremblait. Haussant et fronçant ses sourcils broussailleux, le révérend Brown frappait le pupitre de son poing. « Repentez-vous, repentez-vous pendant qu'il est encore temps, repentez-vous tant que vous pouvez être sauvés de la damnation éternelle! » rugit-il.

Laura sentit des frissons parcourir son dos et ses cheveux se hérisser. Elle éprouva la sensation que la voix terrifiante du révérend faisait surgir de cette foule rassemblée des ombres maléfiques et glacées. Détachés des phrases, les mots tombaient comme autant de menaces implacables. L'espace d'un instant, Laura eut l'horrible impression que le révérend Brown avait les traits du diable. Des langues de feu brillaient dans ses yeux.

— Approchez, approchez et vous serez sauvés! Obtenez votre salut! Repentez-vous, repentez-vous, pécheurs! Levez-vous levez-vous et chantez! Oh, brebis égarées! Fuyez la colère de Dieu! Rame, rame vers le rivage, marin!

D'un geste, il fit lever l'assistance et entonna d'une voix forte :

« *Rame vers le rivage, marin*
Rame vers le rivage! »

« Venez! Venez! » rugit sa voix dans le vacarme du cantique et un jeune homme s'avança dans l'allée d'un pas chancelant.

> « *Peu importe la violence des vents,*
> *Laissons-les mugir.* »

— Sois béni, sois béni, pécheur. Agenouille-toi et que Dieu te bénisse. Y a-t-il d'autres brebis égarées? D'autres encore? criait le révérend Brown et sa voix tonitruante reprit : « Rame vers le rivage! »

En entendant les premiers mots de ce cantique, Laura eut envie de rire. Elle se souvint du grand escogriffe et du petit bonhomme rondouillard qui l'avaient chanté avec gravité tout en déchirant les moustiquaires des magasins à la grande fureur des commerçants. A présent, le bruit et l'excitation la laissaient indifférente.

Elle regarda Papa et Maman. Ils se tenaient tranquillement debout et chantaient calmement tandis que la chose sombre et étrange qu'elle avait sentie surgir tout autour d'elle les cernait comme un blizzard.

Un autre jeune homme et ensuite une femme plus âgée s'avancèrent dans l'allée et s'agenouillèrent. La réunion s'acheva alors. Toutefois, des gens commencèrent à s'assembler autour de ces trois personnes qui s'étaient avancées dans l'allée pour secourir leurs âmes, mais Papa dit tout bas à Maman :

— Allez, partons!

Il porta Grace jusqu'à la porte. Maman

suivait avec Carrie et Laura venait quelques pas derrière. Dans les derniers rangs, les jeunes gens et les garçons se tenaient debout et regardaient les gens défiler dans l'allée. Laura se sentit à nouveau troublée par les regards inconnus qu'elle sentait posés sur elle et elle se donna une contenance en fixant la porte ouverte.

En même temps qu'elle entendit une voix lui demander : « Puis-je vous raccompagner ? », elle sentit une légère pression sur la manche de son manteau.

C'était Almanzo Wilder.

La surprise laissa Laura sans voix. Elle ne put même pas esquisser de la tête un geste d'acquiescement ou de refus. Il avait toujours la main posée sur son bras et il passa la porte à ses côtés. Il l'aida à se frayer un chemin à travers la foule encombrant l'entrée.

Papa venait d'allumer la lanterne. Il rabaissa le verre et regarda autour de lui. Au même moment, Maman se retourna et demanda : « Où est Laura ? »

Ils l'aperçurent tous deux avec Almanzo Wilder à ses côtés et Maman en resta médusée.

— Viens donc, Caroline, dit Papa.

Maman le suivit ainsi que Carrie qui avait ouvert sur Almanzo et Laura de grands yeux ronds.

La neige recouvrait le sol et il faisait froid.

Pas un souffle de vent ne troublait la nuit et, dans le ciel, les étoiles brillaient de tout leur éclat.

Aucune parole ne vint à l'esprit de Laura. Elle espérait que M. Wilder parlerait le premier. Une légère odeur de fumée de cigare s'exhalait de son épais manteau que Laura trouva agréable, bien qu'elle préférât la senteur plus familière de la pipe de Papa. Cette odeur plus vive du cigare rappela à Laura que Cap et ce jeune homme avaient tenté une équipée dangereuse dans le seul but de rapporter du blé. Elle cherchait toujours désespérément comment engager la conversation.

Elle eut la grande surprise de s'entendre dire :

— Il n'y a pas de blizzard, cette année.

— Non, nous avons un hiver clément, rien à voir avec le dur hiver d'il y a deux ans, dit-il.

Le silence s'installa à nouveau, seulement troublé par le craquement de la neige sous leurs pas.

Dans la Grand'rue, des silhouettes sombres regagnaient rapidement leur domicile et les lanternes projetaient des ombres démesurées. La lanterne de Papa traversa la rue. Papa, Maman, Carrie et Grace rentrèrent dans la maison.

Laura et Almanzo restèrent devant la porte fermée.

— Eh bien, bonsoir, dit-il en faisant un pas

en arrière et en soulevant sa casquette. A demain soir.

— Bonsoir, répondit Laura en ouvrant rapidement la porte de la maison.

Papa éclairait avec la lanterne Maman qui allumait la lampe et il était en train de dire :

— ... avoir confiance en lui et il ne s'agit que du trajet de l'église à la maison.

— Mais elle n'a que quinze ans! s'exclama Maman.

Alors Laura referma la porte et entra dans la chaude pièce parfaitement en ordre et éclairée par la lampe allumée.

— Eh bien, qu'as-tu pensé de cette réunion pour le renouveau de la foi? demanda Papa.

— Cela ne ressemble guère aux sermons tranquilles du révérend Alden. Je les préférais, répondit Laura.

— Moi aussi, acquiesça Papa.

Alors Maman dit qu'il était plus que temps d'aller au lit.

Le lendemain, Laura se demanda à plusieurs reprises ce que le jeune M. Wilder avait voulu signifier lorsqu'il lui avait dit : « A demain soir. » Elle ne savait pas pourquoi il avait fait le chemin avec elle jusqu'à la maison. C'était étrange de sa part car c'était un adulte. Il devait avoir au moins vingt-trois ans puisqu'il possédait une concession depuis deux ans et c'était avant tout un ami de Papa.

Cette nuit-là, à l'église, elle n'écouta pas un seul mot du sermon. Elle aurait voulu être ailleurs, loin de ces gens que les sermons du révérend Brown mettaient dans un état d'exaltation extrême. Elle fut heureuse d'entendre Papa annoncer : « Partons! »

A la vue d'Almanzo Wilder qui se tenait près de la porte au milieu d'une file de jeunes gens, Laura se sentit troublée. Elle réalisa que plusieurs de ces jeunes gens raccompagnaient des jeunes filles chez elles. Le rouge lui monta aux joues. Elle ne savait plus trop où regarder. A nouveau, il lui demanda :

— Puis-je vous raccompagner ?

Mais, cette fois-ci, Laura répondit poliment :

— Oui.

Comme elle avait songé pendant toute la journée à ce qu'elle aurait pu dire la veille si elle n'avait pas été aussi intimidée, elle n'eut aucun mal à engager la conversation. Elle venait des bords du ruisseau Plum, dans le Minnesota. Il venait de la vallée Spring, mais auparavant, il avait habité dans l'Etat de New York, près de Malone. Laura se félicitait de son assurance. Puis, ils atteignirent la porte et là, elle lui dit : « Bonsoir. »

Cette semaine-là, il la raccompagna chaque soir jusqu'à la porte de chez elle, après les réunions pour le renouveau de la foi. Laura ne comprenait toujours pas pourquoi. Mais la fin de la semaine arriva bien vite et Laura put à nouveau se plonger dans ses livres et le travail et l'appréhension de la représentation de fin de trimestre ne lui laissèrent plus guère le loisir de s'interroger sur Almanzo Wilder.

CHAPITRE 24

LA REPRÉSENTATION
DE FIN DE TRIMESTRE

Dans la pièce chaude et brillamment éclairée par la lampe, Laura, les doigts glacés, boutonnait avec maladresse le corsage de sa robe de cachemire bleue sans parvenir à se voir nettement dans le miroir. Elle s'habillait pour la représentation de fin de trimestre de l'école.

Elle redoutait ce moment depuis si longtemps qu'elle avait du mal à croire qu'il fût réellement arrivé. Elle devait pourtant maîtriser son émotion.

Carrie aussi était angoissée. Les yeux agrandis

354

dans son petit visage, elle récitait tout bas : « Face au bloc de marbre, le ciseau à la main », tandis que Laura l'aidait à attacher son nœud de ruban dans les cheveux. Maman avait confectionné une robe de laine écossaise que Carrie étrennait en ce fameux jour.

— Maman, laisse-moi te réciter encore une fois le poème, supplia-t-elle.

— Ce n'est pas le moment, Carrie, répondit Maman. Nous sommes déjà presque en retard et je suis certaine que tu le sais parfaitement. Tu me le réciteras en chemin. Es-tu prête, Laura ?

— Oui, Maman, répondit Laura d'une petite voix.

Maman éteignit la lampe. Dehors, un vent froid soufflait et un poudroiement de neige volait à ras du sol. La jupe de Laura tourbillonnait et ses cerceaux remontaient d'une façon agaçante. Elle s'inquiétait aussi pour sa frange.

Elle essaya désespérément de se remémorer tout ce qu'elle devait dire sans pouvoir aller au-delà de : « Christophe Colomb découvrit l'Amérique en 1492. Christophe Colomb, né à Gênes, en Italie... » Carrie récitait avec précipitation : « Attendant l'heure où Dieu nous signifiera... »

— Tiens, les lampes de l'église sont allumées, fit remarquer Papa.

L'église, tout comme l'école, était éclairée. Un défilé de silhouettes obscures, qu'on devinait aux lueurs jaunes des lanternes, se dirigeait vers l'église.

— Que se passe-t-il? demanda Papa.

— Tant de gens sont venus, que l'école n'aurait pas pu tous les accueillir, répondit M. Bradley. M. Owen a décidé que la représentation aurait lieu dans l'église.

— J'ai entendu dire que tu allais faire des merveilles ce soir, Laura, dit Mme Bradley.

Laura répondit machinalement quelques mots de politesse. Elle songeait surtout à : « Christophe Colomb, né à Gênes, en Italie — Christophe Colomb, né... » Il fallait qu'elle continuât au-delà de Colomb.

Une foule si dense se pressait dans l'entrée que Laura eut peur que ses cerceaux ne perdissent leur forme. Il ne restait pas une seule patère disponible. Des gens, à la recherche de places libres, s'agglutinaient dans les allées. M. Owen répétait :

— Les places de devant sont réservées aux élèves. Les élèves sont priés de s'avancer jusque-là.

Maman dit à Laura et à Carrie qu'elle se chargeait de leurs manteaux. Elle aida Carrie à se débarrasser du sien ainsi que de son capuchon tandis que Laura se dévêtait toute seule. Après avoir ôté son chapeau, elle s'assura du bon ordre de sa frange.

— Ne t'inquiète pas, récite comme à la maison et tout ira bien, dit Maman à Carrie en réajustant sa robe écossaise.

— Oui, Maman, soupira Carrie.

Trop émue pour parler, Laura guida Carrie dans l'allée sans dire un mot. Carrie se pressa contre sa grande sœur et leva vers elle un regard interrogateur et inquiet.

— Regarde-moi. Est-ce que ça va?

Laura fixa les grands yeux apeurés de Carrie. Une mèche rebelle de cheveux blonds pendait sur son front. Laura la remit en place. A présent, les cheveux de Carrie, partagés au milieu par une raie, étaient parfaitement lisses jusqu'aux deux nattes épaisses qui pendaient dans son dos.

— Voilà, il n'y a plus rien à redire à ta tenue. Ta robe écossaise est très jolie.

Laura s'étonna de parler avec une voix si sereine. Le visage de Carrie s'éclaira et elle se faufila dans l'allée, passant devant M. Owen pour aller rejoindre ses compagnes de classe assises au premier rang.

— On est en train d'installer sur le mur les portraits des présidents de la même façon qu'ils étaient disposés dans la salle de classe, dit M. Owen à Laura. Ma baguette est sur le pupitre. Quand vous arriverez à George Washington, montrez son portrait avec la baguette.

Chaque fois que vous citerez un nouveau président, indiquez son portrait. Cela vous aidera d'ailleurs à vous souvenir de leur chronologie.

— Oui, Monsieur, répondit Laura.

Elle comprit que M. Owen s'inquiétait également. Elle ne pouvait pas se permettre de se tromper car la bonne marche de la représentation dépendait en grande partie d'elle.

— M. Owen t'a-t-il dit de te servir de la baguette? demanda Ida quand Laura vint s'asseoir à côté d'elle.

Ida ne semblait que le faible reflet de son habituel enjouement. Laura acquiesça d'un geste de la tête et elles observèrent Ben et Cap qui accrochaient les portraits des présidents sur le mur de planches, entre les poutres de charpente. Afin de dégager l'estrade, on avait repoussé contre le mur le pupitre sur lequel était posée en évidence la baguette de l'instituteur.

— Je sais que tu connais parfaitement ta partie, mais j'ai peur, dit Ida d'une voix tremblante.

— Cela passera au moment de réciter, dit Laura pour la réconforter. N'oublie pas que nous avons toujours été très bonnes en histoire. En tout cas, c'est plus facile que le calcul mental.

— Je suis bien contente que ce soit toi qui commences, dit Ida. Je ne serais pas capable de réciter ta partie, vraiment *je ne pourrais pas*.

Laura préférait le début de l'histoire américaine qu'elle jugeait plus captivante. Mais à présent tout s'embrouillait dans sa tête. Elle essayait de se souvenir de toute sa partie bien qu'elle sût qu'il était trop tard pour le faire. Il lui faudrait s'en souvenir coûte que coûte. Elle ne pouvait pas se permettre d'avoir un trou de mémoire.

M. Owen réclama le silence. La représentation commençait.

Nelly Oleson, Marie Power, Minnie, Laura, Ida, Cap, Ben et Arthur montèrent l'un après l'autre sur l'estrade. Arthur avait des chaussures toutes neuves et l'une d'elle crissa. Rangés en ligne, ils faisaient face aux yeux attentifs de l'assistance emplissant l'église. Laura sentit son émotion grandir sous tous ces regards. M. Owen ne prolongea pas l'attente et posa aussitôt des questions aux élèves.

La peur de Laura s'envola. Dans sa robe de cachemire bleue, sous la lueur éblouissante des lampes, Laura répondit aux questions de géographie comme dans un rêve. Se tromper ou ignorer une réponse devant Papa et Maman et tous ces gens assemblés l'aurait couverte de honte. Mais Laura n'avait pas peur. Elle répondait comme un automate, ne réalisant pas très bien ce qui se passait sans toutefois cesser de penser : « Christophe Colomb découvrit l'Amérique... » Laura ne fit pas une seule erreur en géographie.

Après les applaudissements qui saluèrent la fin de l'épreuve de géographie, vint la grammaire. L'absence de tableau noir rendait les exercices plus difficiles. Faire l'analyse grammaticale d'une longue phrase, remplie de mots composés et de locutions adverbiales, écrite au tableau noir ou sur l'ardoise, ne présentait pas de trop grandes difficultés. Mais garder en mémoire une phrase entière sans oublier ne serait-ce qu'une virgule était une chose moins aisée. Toutefois, seuls Nelly et Arthur commirent des erreurs.

Le calcul mental était plus difficile encore. Laura n'aimait pas l'arithmétique. Son cœur battit à tout rompre quand vint son tour de compter. Elle était sûre de se tromper. Elle s'étonna elle-même de s'entendre calculer avec aisance :

— 347 264 divisés par 16. En 34 combien de fois 16 ? Il y va deux fois, je pose 2 et il reste 2. En 27 combien de fois 16 ? Il y va une fois et il reste 11. En 112 combien de fois 16 ? Il y va sept fois et il reste 0. Six n'est pas divisible par 16, je pose 0 et j'abaisse le 4. En 64 combien de fois 16 ? Il y va 4 fois. Trois cent quarante-sept mille deux cent soixante-quatre divisés par seize égalent vingt et un mille sept cent quatre.

Laura ne multiplia pas le quotient par le diviseur pour vérifier le résultat, car M. Owen posa aussitôt un autre problème. Elle était donc sûre que sa réponse était juste.

— La classe est terminée, annonça finalement M. Owen.

Ils regagnèrent tous leurs places, vivement applaudis. A présent, les plus jeunes élèves allaient réciter des morceaux choisis. Le tour de Laura viendrait ensuite.

Tandis que les garçonnets et les fillettes récitaient à tour de rôle, Laura et Ida se tenaient immobiles sur leur banc, crispées par l'appréhension. Dans la tête de Laura toute la leçon d'histoire s'embrouillait : « Christophe Colomb découvrit... Les colonies confédérées assemblées en Congrès à Philadelphie... Il n'y a qu'un seul mot que je réfute dans cette déclaration, c'est le mot Congrès... Benjamin Harrison se leva et dit : « Il n'y a qu'un mot que j'accepte dans cet écrit, c'est le mot Congrès. »... Et George III... peut tirer profit de leur exemple. S'il s'agit de trahison, Messieurs, tâchez de bien en profiter !... Nous voulons la liberté ou la mort... Nous tenons ces vérités pour évidentes... Leurs pas laissaient des traces ensanglantées sur la neige... »

Soudain, Laura entendit M. Owen appeler :

— Carrie Ingalls.

Son petit visage très pâle trahissait son trac. Elle s'avança dans l'allée. Dans son dos, tous les boutons de sa robe écossaise étaient boutonnés vers l'intérieur. Laura aurait dû veiller à les boutonner correctement. Mais elle avait laissé la pauvre petite Carrie se débrouiller toute seule.

Carrie se tenait très droite, les mains derrière le dos. Son regard se portait au-dessus de la foule attentive, fixant un point dans le lointain. Elle récita d'une voix douce et claire :

« *Face au bloc de marbre, le ciseau à la main,*
L'enfant s'apprête à sculpter.
Son visage s'éclaire d'un sourire de joie,
Car, en songe, il a vu un ange passer.
Ciselant la pierre à petits coups,
Il veut donner forme à son rêve ;
La lumière du ciel illumine le sculpteur
Qui a su saisir cette vision angélique.

Nous sommes tous semblables à ce sculpteur
Devant nos vies à peine ébauchées,
Attendant l'heure où Dieu nous signifiera
Comme il la faudra sculpter.
Nous taillerons à notre tour,
A petits coups de ciseaux dans la pierre.
Notre vie, telle cette apparition céleste,
Prendra forme entre nos mains, sous le regard de Dieu. »

362

Carrie n'hésita pas une seule fois et ne fit pas la moindre erreur. Laura était fière de sa sœur et Carrie rosit en retournant à sa place au milieu des applaudissements.

Alors M. Owen annonça :

— Nous allons maintenant écouter un panorama de l'histoire de notre pays, depuis sa découverte jusqu'à l'époque actuelle, présenté par Laura Ingalls et Ida Wright. A vous, Laura.

Le moment crucial était arrivé. Laura se leva. Elle se retrouva sur l'estrade sans trop savoir comment elle s'y était rendue. En tout cas, elle était là, face à la foule et elle commença ainsi :

— Christophe Colomb découvrit l'Amérique en 1492. Christophe Colomb, né à Gênes, en Italie, mit longtemps pour obtenir la permission d'emprunter une nouvelle route maritime passant par l'Ouest pour aller vers l'Inde. A cette époque, Ferdinand d'Aragon et Isabelle de Castille gouvernaient l'Espagne et avaient réalisé l'unité...

Sa voix tremblait légèrement. Laura se détentit et continua d'une voix plus assurée. Elle n'arrivait pas à réaliser qu'elle se trouvait là, sur l'estrade, dans sa robe de cachemire bleue que faisaient bouffer les cerceaux d'acier, avec la broche de nacre de Maman épinglée dans son jabot de dentelle et sentant sa frange moite sur son front chaud.

Elle parla des explorateurs français et espagnols et de leurs premières implantations, de l'échec de Raleigh [1] pour fonder une colonie, des compagnies de commerce de Virginie et du Massachusetts, des Hollandais qui achetèrent l'île de Manhattan et s'établirent dans la vallée de l'Hudson.

Au début, l'émotion troublait la vue de Laura. Puis, elle commença à distinguer des visages. Celui de Papa se détacha de la foule. Il hochait doucement la tête et ses yeux brillants rencontrèrent ceux de Laura.

Elle se lança ensuite dans la grande histoire des Américains. Elle évoqua l'idée nouvelle de liberté et d'égalité du Nouveau Monde, elle rappela l'oppression de l'Europe, la guerre contre la tyrannie et le despotisme, la lutte pour l'indépendance des treize colonies, la rédaction de la Constitution et l'unité des treize Etats. Elle

1. N.d.T. Sir Walter Raleigh, explorateur anglais, essaya vainement de fonder un établissement, en 1584-1587, dans l'île de Roanoke, en Virginie.

désigna alors avec la baguette le portrait de George Washington.

Sa voix résonna au milieu d'un silence recueilli quand elle raconta son enfance malheureuse, sa défaite devant les Français à Fort Duquesne puis les longues et désespérantes années de guerre [1]. Elle parla de son élection unanime comme premier président des Etats-Unis, père du pays, des lois votées par le premier et le second Congrès et des territoires du Nord-Ouest cédés par l'Angleterre. John Adams lui succéda et ensuite Jefferson. Ce dernier, qui avait joué un rôle important dans la rédaction de la Déclaration d'indépendance, établit la liberté religieuse et le droit de propriété en Virginie, fonda l'université de Virginie et acheta pour le nouveau pays toutes les terres situées entre le Mississippi et la Californie [2].

Madison vint ensuite. Les Etats-Unis connurent alors la Guerre de 1812, l'invasion, la défaite, l'incendie du Capitole et de la Maison-Blanche dans la capitale, Washington, les courageuses batailles navales livrées par les marins

1. N.d.T. La Déclaration d'indépendance date de 1776, mais l'indépendance ne fut reconnue par l'Angleterre qu'en septembre 1783, après huit années de guerre opposant les Américains aux Anglais.

2. N.d.T. Il s'agit de la Louisiane rachetée à la France en 1803.

américains sur les bateaux peu nombreux des Etats-Unis qui furent finalement les vainqueurs de cette seconde guerre d'indépendance.

Quelques années plus tard, le président Monroe osa dire aux nations plus anciennes et plus puissantes et à leurs tyrans qu'ils devaient s'abstenir dorénavant d'intervenir dans les affaires du Nouveau Monde [1]. Andrew Jackson, avec les milices du Tennessee, combattit les Espagnols et s'empara de la Floride que les Etats-Unis eurent l'honnêteté de racheter à l'Espagne. En 1820, les Etats-Unis connurent des temps difficiles. Les banques firent faillite, les affaires s'arrêtèrent, tous les gens se trouvèrent sans travail et mouraient de faim.

Laura désigna ensuite avec la baguette John Quincy Adams et raconta son élection. Elle évoqua la lutte des Mexicains pour obtenir à leur tour l'indépendance. L'issue victorieuse de cette lutte permit aux Mexicains de commercer avec qui ils voulaient. Les commerçants de Santa Fe [2] ouvrirent alors une route commerciale à travers des kilomètres de désert jusqu'à

1. N.d.T. Il s'agit de la fameuse déclaration du président Monroe au Sénat que l'on a appelée doctrine Monroe et qu'on a souvent résumée par cette formule : « L'Amérique aux Américains ».
2. N.d.T. Santa Fe faisait partie à cette époque du Texas qui appartenait au Mexique.

l'Etat du Missouri pour développer les échanges avec le Mexique. Les premiers chariots pénétrèrent dans le Kansas.

Laura avait terminé sa partie, Ida racontait la suite. Elle reposa la baguette et s'inclina devant l'assistance silencieuse. Un tonnerre d'applaudissements la fit sursauter. Les applaudissements s'amplifièrent et Laura eut le sentiment qu'elle devait rejoindre sa place pour les faire cesser. Mais une fois qu'elle se fut assise, presque à

367

bout de force, à côté d'Ida, les acclamations continuèrent. Elles se poursuivirent jusqu'à ce que M. Owen intervînt.

Laura tremblait de tout son corps. Elle voulut encourager Ida d'une parole, mais aucun mot ne put franchir ses lèvres. Elle restait assise, sans bouger, heureuse que l'épreuve fût terminée.

Ida récita parfaitement également. Elle ne fit pas une seule erreur. Laura se réjouit d'entendre les vifs applaudissements félicitant Ida.

Ce ne fut pas chose facile de sortir de l'église après que M. Owen eut annoncé la fin de la représentation. Tous les gens encombraient les allées, très occupés à donner leur avis sur la représentation. Laura constata que M. Owen était satisfait.

— Eh bien, petite pinte de cidre doux, tu as été très bien, dit Papa quand Laura et Carrie se furent frayé un chemin à travers la foule pour le rejoindre, et toi aussi, Carrie, ajouta-t-il.

— Oui, renchérit Maman, je suis fière de mes deux filles.

— Je n'ai pas oublié un seul mot, souligna joyeusement Carrie, mais je suis bien contente que cela soit fini.

— *Moi... aussi,* dit Laura en se débattant pour enfiler son manteau.

Elle sentit alors une main sur son col qui venait à son secours et elle entendit une voix dire :

— Comment allez-vous, monsieur Ingalls?

En levant les yeux, elle reconnut le visage d'Almanzo Wilder.

Il ne dit rien ni elle non plus avant d'être sortis de l'église. Quand ils se retrouvèrent dans l'air froid qu'aucun vent ne troublait, sur le sentier enneigé derrière la lanterne de Papa, Almanzo dit :

— J'aurais peut-être dû vous demander la permission de vous raccompagner.

— Oui, acquiesça Laura.

— Cela a été une telle mêlée pour sortir de cette foule, expliqua-t-il.

Après un silence, il ajouta :

— Puis-je vous raccompagner?

Laura ne put s'empêcher de rire et il l'imita.

— Oui, répondit-elle à nouveau.

Elle se demandait une fois encore pourquoi il agissait ainsi alors qu'il était nettement plus âgé qu'elle. M. Boast ou n'importe lequel des amis de Papa pouvaient sans aucun problème la raccompagner si Papa n'était pas là pour le faire. Mais Papa se trouvait à quelques pas devant eux. Elle aimait bien le rire d'Almanzo. Il avait l'air de prendre les choses avec bonne humeur. Laura pensa que ses chevaux étaient probablement à l'attache dans la Grand'rue et comme il se rendait dans la même direction qu'elle, il faisait le chemin avec elle.

— Vos chevaux sont-ils à l'attache dans la Grand'rue? demanda-t-elle.

— Non, je les ai laissés du côté sud de l'église, à l'abri du vent et recouverts d'une couverture. Je suis en train de fabriquer un traîneau, poursuivit-il.

La façon dont il annonça cela remplit Laura d'un espoir soudain. Elle pensa combien ce serait merveilleux d'aller en traîneau derrière ses chevaux si fringants. Ce n'était peut-être pas l'intention d'Almanzo de le lui proposer et pourtant Laura ne pouvait s'empêcher de se réjouir à l'avance.

— Si cette neige tient, ce sera idéal pour aller en traîneau, dit-il. J'ai l'impression que cet hiver est parti pour être aussi clément que celui de l'an dernier.

— Oh oui, on dirait, répondit Laura.

Elle était convaincue à présent qu'il ne lui proposerait pas de l'emmener.

— Il faut quelque temps pour le construire, expliqua-t-il, puis il faudra que je passe deux couches de peinture. Il ne sera prêt qu'après Noël. Vous aimez aller en traîneau?

Laura contint sa joie.

— Je ne sais pas, répondit-elle, je n'ai pas essayé.

Puis elle se laissa aller et poursuivit hardiment :

— Mais je suis sûre que j'aimerais beaucoup cela.

— Bien, dit-il, je repasserai au début de janvier et peut-être pourriez-vous faire un petit tour avec moi? Disons, un samedi. Qu'en dites-vous?

— Oui, oh oui, s'exclama Laura, avec plaisir.

— C'est d'accord, si ce temps se maintient je repasserai dans deux semaines.

Ils étaient arrivés à la porte de la maison. Il enleva sa casquette et lui dit bonsoir.

Laura entra d'un pas léger dans la maison.

— Oh, Papa, Maman! Qu'en pensez-vous? Monsieur Wilder construit un traîneau et il m'a proposé de m'emmener faire un tour!

Papa et Maman se regardèrent, l'air grave. Laura ajouta aussitôt :

— Si vous m'en donnez la permission, bien sûr. Oh, le permettez-vous, s'il vous plaît?

— Nous verrons cela en temps voulu, répondit Maman.

Mais Papa posa sur Laura un regard plein de douceur et Laura savait qu'elle obtiendrait la permission. Comme ce serait amusant de filer à toute vitesse dans l'air froid et ensoleillé derrière les chevaux. Elle ne put s'empêcher de songer avec délice : « Oh, Nelly sera furieuse! »

CHAPITRE 25

LA SURPRISE
DU MOIS DE DÉCEMBRE

Le jour suivant se leva, blanc et désolé. Ils n'essaieraient plus de fêter Noël sans Marie et les seuls cadeaux prévus étaient destinés à Carrie et à Grace. Sans attendre le jour de Noël, ils avaient ouvert la petite boîte envoyée par Marie.

L'école resterait fermée toute une semaine. Laura savait qu'il lui fallait profiter de cette occasion pour se consacrer à l'étude mais elle n'arrivait pas à se plonger dans ses livres.

— Sans Marie, ce n'est pas amusant d'étudier à la maison, dit-elle.

Ils avaient fini de déjeuner et la maison était en ordre, mais elle semblait vide avec le fauteuil à bascule de Marie inoccupé. Laura fouillait la pièce du regard comme à la recherche d'un objet perdu.

Maman posa le journal de la paroisse.

— Vraiment, je ne m'habitue pas non plus à son absence, dit-elle. Ce texte écrit par un missionnaire ne manque pas d'intérêt mais je l'ai si souvent lu à haute voix pour Marie qu'il m'est devenu proprement impossible de le lire seule.

— J'aimerais tant que Marie soit restée parmi nous! s'écria Laura.

Maman lui dit qu'elle ne devait pas regretter son départ.

— Ses études marchent si bien et n'oublie pas quelle chance c'est pour elle de pouvoir apprendre tant de choses comme coudre à la machine, jouer de l'harmonium et fabriquer de jolis ouvrages en perles.

Maman et Laura regardèrent le petit vase que Marie avait fait en enfilant des perles bleues et blanches sur un mince fil de fer et qu'elle leur avait envoyé pour Noël. Il était posé sur le bureau, près de Laura. Elle s'approcha du vase et posa ses mains dessus, palpant du bout des doigts son bord en perles pendant que Maman poursuivait :

— Je me fais un peu de souci car je ne sais

pas trop comment nous trouverons l'argent nécessaire pour acheter les nouveaux vêtements d'été dont Marie aura besoin ; et nous devrons nous débrouiller pour lui envoyer un peu d'argent de poche. Il lui faudrait aussi une ardoise spéciale pour écrire en braille et cela coûte cher.

— J'aurais seize ans dans deux mois, dit Laura, pleine d'enthousiasme. J'obtiendrai peut-être mon diplôme cet été.

— Si tu enseignes un trimestre l'année prochaine, nous pourrons faire venir Marie à la maison pendant les vacances d'été, dit Maman. Elle est absente depuis si longtemps qu'il serait temps qu'elle passe un moment avec nous. Il n'y aurait que le billet du voyage en chemin de fer à payer. Mais on ne doit pas vendre la peau de l'ours avant de l'avoir tué.

— De toute façon, je ferais mieux d'étudier, dit Laura en poussant un soupir.

Elle avait honte de manquer à ce point de courage quand Marie trouvait la patience de fabriquer des ouvrages si minutieux avec des perles minuscules qu'elle ne voyait pas.

Maman reprit son journal et Laura se pencha sur ses livres sans toutefois parvenir à se tirer de son apathie.

Postée à la fenêtre, Carrie annonça :

— Voilà M. Boast qui arrive ! Il y a quel-

374

qu'un avec lui. C'est eux qui frappent à la porte!

— Ce sont eux, la reprit Maman.

Laura ouvrit la porte. M. Boast entra et dit :

— Bonjour tout le monde. Je vous présente M. Brewster.

Les bottes cirées de M. Brewster, sa veste épaisse et ses mains indiquaient qu'il était fermier. Il était peu bavard.

— Bonjour, dit Maman en apportant des chaises. M. Ingalls est en ville pour le moment. Comment va Mme Boast? Je regrette qu'elle ne vous ait pas accompagné.

— Je n'avais pas l'intention de venir, dit M. Boast. Nous passons juste un moment pour dire quelques mots à cette jeune personne.

Et ses yeux noirs se posèrent sur Laura.

Laura fut très étonnée. Elle s'assit très droite comme Maman le lui avait appris, les mains posées sur les genoux et les pieds rentrés sous sa jupe, mais son cœur se mit à battre plus vite. Que pouvait bien avoir à lui dire M. Boast?

Celui-ci poursuivit :

— Lew Brewster que voici cherche une institutrice pour la nouvelle école qu'on vient de construire dans sa région. Il a assisté à la représentation donnée par l'école, hier soir, et il pense que Laura est l'institutrice qu'il leur faut. Je lui ai assuré qu'il ne pouvait faire un meilleur choix.

Laura sentit que tout tournait autour d'elle.

— Je suis encore trop jeune, dit-elle.

— Ecoute, Laura, lui dit M. Boast d'un ton résolu, tu n'as pas besoin de dire ton âge si on ne te le demande pas. La question est seulement de savoir si tu as envie d'enseigner dans cette école si tu obtiens ton diplôme.

Laura resta sans voix. Elle regarda Maman qui demanda :

— Où se trouve l'école, M. Brewster ?

— A une vingtaine de kilomètres au sud d'ici, répondit-il.

Le cœur de Laura se serra et elle fut prise de découragement. Parmi des inconnus, si loin de la maison, elle serait seule sans personne sur qui compter. Elle ne pourrait pas rentrer à la maison avant la fin du trimestre car il n'était pas question de parcourir une distance de vingt kilomètres matin et soir.

M. Brewster ajouta :

— L'école se trouve dans un petit village. La campagne autour est encore peu habitée aussi nous ne pouvons pas nous permettre d'ouvrir l'école plus de deux mois. Nous offrons un salaire de vingt dollars par mois, nourri et logé, en tout et pour tout.

— Cela me semble une somme raisonnable, dit Maman.

Cela ferait quarante dollars, calcula Laura.

Quarante dollars! Elle n'avait jamais imaginé qu'elle pourrait gagner autant d'argent.

— Mon mari se fiera à votre avis, M. Boast, ajouta Maman.

— J'ai connu Lew Brewster dans l'Est, reprit M. Boast. C'est une chance que Laura ne devrait pas laisser échapper.

Laura était si bouleversée qu'elle dut faire un immense effort pour dire :

— Eh bien, je serai heureuse d'enseigner si c'est possible.

— Alors ne perdons pas de temps, dit M. Boast qui se leva en même temps que M. Brewster. M. Williams est en ville et si nous arrivons à le joindre avant qu'il rentre chez lui, il viendra vous faire passer l'examen.

Les deux hommes saluèrent Maman et partirent sur-le-champ.

— Oh, Maman! bredouilla Laura. Crois-tu que je réussirai l'examen?

— Oui, j'en suis sûre, Laura, répondit Maman. Détends-toi et ne t'inquiète pas. Pense qu'il s'agit d'une simple composition et tout ira bien.

Déjà, Carrie installée près de la fenêtre s'écriait :

— Le voici qu'arrive!

— Le voici qui arrive, la reprit vivement Maman.

— Le voici qui arrive, répéta Carrie. Ça sonne bizarrement, Ma...

— Cela sonne, corrigea Maman.

— Il arrive droit de la quincaillerie Fuller! s'écria Carrie.

On frappa à la porte. Maman ouvrit et un homme fort au visage et à l'allure sympathiques lui dit qu'il était M. Williams, l'inspecteur de l'enseignement primaire du comté.

— Ainsi, voici la jeune fille qui veut son diplôme d'institutrice! dit-il en regardant Laura. Je ne crois pas qu'il soit nécessaire de vous interroger longuement. Je vous ai entendue hier soir. Vous avez répondu à toutes les questions. Ah, mais je vois votre ardoise et votre crayon sur la table. Bon, eh bien, nous pouvons toujours faire quelques petits exercices.

Ils s'assirent à la table. Laura résolut des problèmes de calcul, fit des dictées de mots, répondit à des questions de géographie. Elle lut le discours de Marc Antoine sur la mort de César. La présence de M. Williams ne l'intimidait pas trop et elle entoura sur son ardoise les

mots d'une phrase dont elle fit rapidement l'analyse grammaticale.

En escaladant la montagne escarpée, je vis un aigle tournoyer près de la cime.

— « Je », pronom personnel, première personne du singulier, sujet du verbe « vis ». « Vis », verbe voir, transitif, à la première personne du singulier du passé simple de l'indicatif. « Un », article indéfini, masculin singulier, se rapporte à aigle. « Aigle », nom commun, masculin singulier, complément d'objet direct de « vis ». « En escaladant la montagne », gérondif, complément circonstanciel de simultanéité de « vis ». « Tournoyer près de la cime », proposition infinitive. « Près de », locution prépositive, unit le complément circonstanciel de lieu, « cime », au verbe transitif « tournoyer ».

Après quelques exercices de ce type, M. Williams se trouva pleinement satisfait.

— Je n'ai pas besoin de vous interroger en histoire, dit-il. Je vous ai entendue réciter brillamment les débuts de l'histoire américaine, hier soir. Je vais baisser un peu vos notes car je ne dois pas vous donner un diplôme plus élevé que celui de fin d'études primaires avant l'année prochaine. Pouvez-vous me prêter de quoi écrire, Mme Ingalls?

— Le porte-plume et l'encrier sont sur le bureau, répondit Maman avec un geste de la main.

M. Williams s'assit au bureau de Papa et étendit un certificat vierge dessus. On n'entendait plus que le grattement de la plume sur le papier. Il essuya enfin la plume sur un chiffon, referma la bouteille d'encre et se leva.

— Voilà, Mlle Ingalls, dit-il. Brewster m'a chargé de vous dire que l'école ouvrira lundi prochain. Il viendra vous chercher samedi ou dimanche. Cela dépendra du temps. Vous savez que l'école se trouve à vingt kilomètres au sud d'ici.

— Oui, Monsieur. M. Brewster nous a prévenues, répliqua Laura.

— Eh bien, je vous souhaite bonne chance, dit-il chaleureusement.

— Merci, Monsieur, dit Laura.

Après qu'il eut salué Maman et pris congé, Laura et Maman lurent le certificat.

Debout au milieu de la pièce, Laura tenait toujours le certificat à la main quand Papa rentra.

— Qu'y a-t-il, Laura ? demanda Papa. Tu as peur que ce papier te morde ?

— Papa, dit Laura, je suis institutrice.

— Comment ! s'exclama Papa. Caroline, explique-moi ce qui se passe.

DÉPARTEMENT DE L'ÉDUCATION

DAKOTA   COMTÉ DE KINGSBURY

CERTIFICAT D'APTITUDE
A L'ENSEIGNEMENT

Nous certifions que *Mademoiselle Laura Ingalls* a passé avec succès les épreuves de *lecture, orthographe, écriture, calcul, géographie, anglais, grammaire et histoire.*

et, ayant satisfait pleinement aux exigences de haute moralité requises, a été jugé digne du titre de :

DIPLÔMÉE
DE FIN D'ÉTUDES PRIMAIRES

et peut enseigner les matières mentionnées ci-dessus dans toutes les écoles du pays pendant douze mois.

Le *24 décembre 1882*   *G. A. Williams*

Inspecteur de l'enseignement primaire.
Comté de Kingsbury.
Dakota.

Notes obtenues : *lecture 12,5 ; écriture 15 ; histoire 19,5, grammaire anglaise 16 ; calcul 16 ; géographie 17.*

— Lis, dit Laura en lui tendant le diplôme avant de se laisser tomber sur une chaise. Il ne m'a pas demandé mon âge.

Quand Papa eut examiné le diplôme et que Maman lui eut donné toutes les explications nécessaires, il s'écria :

— Saperlipopette!

Il s'assit à son tour et relut attentivement le diplôme de Laura.

— C'est très bien, dit-il. C'est même très très bien pour quelqu'un qui n'a pas seize ans.

Papa voulait se montrer enjoué mais sa voix trahissait son émotion car Laura allait les quitter.

Laura ne pouvait pas imaginer ce que serait sa vie d'institutrice à vingt kilomètres de chez elle, seule parmi des inconnus. Elle ne voulait pas y songer. Elle ne voulait pas partir. Moins elle y penserait mieux cela vaudrait car, à présent, le sort en était jeté et il lui faudrait affronter coûte que coûte ce qui l'attendait là-bas.

— Maintenant, Marie ne manquera plus de rien et il n'y a plus d'obstacles à ce qu'elle vienne l'été prochain à la maison, dit Laura. Oh, Papa, crois-tu que... je... sois *capable* d'enseigner?

— Certainement, Laura, répondit Papa. Je n'en doute pas un instant.

TABLE DES MATIÈRES

Cet
ouvrage,
le cent cinquante-
huitième
de la collection
CASTOR POCHE,
a été achevé d'imprimer
sur les presses de l'imprimerie
Maury Eurolivres SA
45300 Manchecourt
en mars
1993

Dépôt légal : septembre 1986.
N° d'Édition : 17331. Imprimé en France.
ISBN : 2-08-161874-5
ISSN : 1147-3533
Loi n° 49-956 du 16 juillet 1949
sur les publications destinées à la jeunesse